退屈とポスト・トゥルース

SNSに搾取されないための哲学

ール

a pilot of wisdom

目次

章扉作成／MOTHER

それは避けられない。退屈は単純ではない。我々は（仕事やテクストを前にして）苛立《いらだ》ちや拒絶の身振りで退屈から逃れられるものではない。テクストの快楽があらゆる間接的な生産を想定するのと同じようには、退屈はどんな形であれ自発性を発揮する権利があるものだとは考えられない。誠実な退屈などは存在しない。もしもおしゃべりのテクストが私を個人的に退屈させるのなら、それは実のところ相手の要求が気に入らないからだ。しかし、私が本当はそれを好きだとしたら（私にいくらか母性的な嗜好があるとしたら）？　退屈は至福とかけ離れてはいない。それは快楽の岸辺から眺めた至福なのである。

ロラン・バルト『テクストの楽しみ』（訳注：鈴村和成訳［みすず書房］を参照した）

序

ある程度の退屈は幸福な生活に不可欠である。
バートランド・ラッセル『ラッセル幸福論』（一九三〇年）

一九九九年、イギリス人写真家のマーティン・パーが出版した本は、予想外の売れ行きを見せ、コーヒーテーブルや机の上に欠かせないものとなった。この『退屈な絵葉書』という本の中身は、まさにタイトルが約束するものである——イギリスの生活において想像し得る限り最も退屈な景色や局面を捉えた絵葉書の分厚いアルバム。*1 パーが個人的に集めた絵葉書から一六〇枚を選んで作り上げたものだ。何の面白みもない鉄道駅、煉瓦《れんが》で建てられた工場、がらんとしたインテリア、モーテルの部屋、ホテルのラウンジ、悲しげな郵便局、そして侘《わび》しく広がり延びていく高速道路——こういったものが、この平凡で味気のないものを讃《たた》える奇妙な本のなかに場を見出《みいだ》した。多くの人たちがこの本を愉快だと思い、ある人たちは悲しいと考えた。誰もこれを退屈だとは思わなかったようだった——実のところ、その正反対だった。

それでも、『退屈な絵葉書』に収められた写真に写っているものは、日常生活における目的を果たすのにどれだけ有用であろうと、間違いなく退屈な景色や取るに足らぬ建造物である。私にとって——ほかの多くの人たちにとってと同様に——この本は啓示的であると同時に親しみ深いものであった。ジャンクアート、あるいは平凡なものを美的な目的に使った芸術の多くの例と同じように、それはアーサー・ダントーが「ありふれたものの変容」と呼ぶものを示したのだ。私たちは築かれた環境の多くにつきまとう陳腐さを見出すとともに、つながりとコミュニケーションを求める我々の欲求の切実さにも気づく。どうして駐車場や高速道路の入り口を絵葉書の題材として選ぶ人がいるのだろう？　私たちはそう問わずにいられない。こうした写真に人間が写っている場合もあるが、多くは生命の痕跡がなく、核爆発後のように何もない日常の景色である。取るに足らない画像の位置転換によって、当たり前でありながらも深い憧れに明るい光を当てるといった「フォークフォトグラフィ」の流行の観念をもてあそんでいるにせよ、それが映し出しているのは日常生活の退屈さにすぎない。パーはコメントも理論も付け加えず、ただ写真が自ら語るに任せている。

パーがその続編であるアメリカの絵葉書の本（『退屈な絵葉書、USA』）を二〇〇〇年に、ドイツの本（『退屈な絵葉書《ラングヴァイリゲ・ポストカルテン》』）を二〇〇一年に出版したとき、この企画は新たなレベルに達した。よりいっそう巨大な高速道路、料金所、空港、国境検問所、高層アパート、誰もいないスイミングプール、郊外の分譲地などが、気の抜けた絵葉書群のなかに加わったのだ。こうした本のページ、特に『退屈な絵葉書、USA』をめくっていると、ナボコフが『ロリータ』（一九五五年）で描いた自動車旅行の視覚的なイメージが浮かび上がる。ネオンの点《つ》いた路傍の食堂、食料品のチェーン店、ハンバーガー・スタンド、ガソリンスタンド、モーテルなどをハンバート・ハンバートが苦々しげに列挙していくのは、戦後のアメリカとその空虚で気力を奪うような繁栄に対して、募りつつある批判にもなっていた。パーはそれほど批判的ではない。ここでも彼のコレクションには、称賛するような雰囲気が感じられるが、悲しみも帯びている。最高に楽しんでいるよ、君もここにいてくれたらいいのに！　いや、本当にここにいてくれたらって思うんだ。だって、君なしでここにいるのは、完全な自分ではないってことだから。

　絵葉書はすでに長いこと存在しているが、熱狂的に流行した一つの時期は一世紀ほど前のことだった。リトグラフによる旅先の風景の絵葉書を、あとに残した家族や友人に送ることが大ブームになったのだ。この短い流行のあいだの絵葉書で私が最も気に入っているものの一つは、ニューヨークのウルワースビルの絵葉書（一九一二年）である。これを私はニューハンプシャー州の納屋で数年前に見つけた。くねくねとした万年筆のインクが、聳《そび》え立つ建物の頂点を指し示し、農場にいる人たちへの情報として「昨年の冬、ここにのぼった」と書いてある。初期の絵葉書の色合い――薄めの色と漫画本のような印刷のクオリティ――でさえ、親しみ深さを感じさせる色調となる。艶々して光っている一九七〇年代以降のものが、一貫性を欠き、どこか違うと思えるほどだ。一方、人々が何百万枚もの安い絵葉書を送り合っているあいだ、安価で持ち運びのできる写真機が売り出され、アマチュアでも「本物の写真」が撮れるようになった。彼らはその産物をわずかな数だがプリントし、地域の人々と見せ合うこともした。まさに「工業の時代のインスタグラム」である。一九〇五年から一九一二年までのあいだに何百万もの絵葉書が作られ、送られたが、その多くはパーの写真集にあるものと同じく明らかに退屈だった。絵葉書の流行がピークに達した時期である。[*2]

しかし絵葉書は単なる画像ではない。だからこそ、本書の内容を視覚的に補助するものとして、私は絵葉書を使ったのである（訳注：原著には資料として絵葉書が付されている）。絵葉書は自己を探す自己の物語を語る。そして、絵葉書は大きなシステム内部の要素である――都市や町や農場、郵便制度や印刷業、観光業や休日、そして家族や友人や仕事の同僚のシステム。画像は集団行動やコミュニケーション行動の広大なネットワークのなかで、個人的なシグナルの接続点を生み出す機会、あるいはツールなのだ。裏側に書かれているメッセージは同様に、絵葉書が送られたという事実の補足にすぎない。実際、日曜日のフリーマーケットをぶらついてみれば誰でも気づくように、多くの絵葉書にはメッセージが書かれておらず、宛て先だけである。探し求めていた「つながり」こそが本当の運搬品なのだ。

本書は、私たちがそのような「つながり」を探し求めることについて、またそうした欲望のネットワークが内包する可能性や危険性について述べるものである。退屈な絵葉書は、いくつか重要な視点を与えてくれる。まず、退屈な絵葉書は実は退屈ではなく、ある力が働いているということ。我々は最初に陳腐な、あるいは味気のない画像を見て、それがどこか信じられないと思う。それから「退屈」の対極として画像を評価するようになる。古い郵便物からしばしば喚起されるノスタルジアの対極と言ってもいい。続いてアイロニカルな「二重化」の時間があり、以前の二つの考えを絶妙な緊張関係で維持する。おかしい？　そのとおり。悲しい？　これもそのとおり。魅力的？　もちろん。退屈な絵葉書はこのように視覚的な形で我々にヒントを与えてくれるのだ。「退屈」とは、より一般的にどのように機能するのか。あるいは、もっと正確に言えば、いかに我々は哲学的に興味深い形で「退屈」の真価を見極めるようになるか。その見極めの力を養うことが本書の主要な目的である。

ここに、私が「インターフェース」と呼ぶものに関わる第二の洞察がある。我々はテクノロジーに支配された世界に住んでいるし、議論のなかで私がテクノロジーの細かい部分にも焦点を当てることもあるので、インターフェースというとコンピュータ時代だけの特徴と考えがちだ。もっと悪いことに、インターフェースの概念を特定のプラットフォームやプログラムに限定してしまう傾向がある。私がこれからの議論で示すように、コンピュータのインターフェースでさえ、こうしたもの以上だ。それはユーザーを、ユーザーの経験を、特定のプログラムで過ごした時間内の触覚的な要素（スワイプ、クリック、サムタイプなど）でさえも包含する。もっと広げれば、後期資本主義の生活において働いている社会的、政治的、そして経済的要因のすべてを、インターフェースは包含するのである――我々の手のなかや机の上にあるデバイスを働かせている物質的な条件や蔓延《まんえん》する貧困化から、我々がインターフェースで過ごす時間を形作る心理的かつ精神的な条件まで。

さらに大きな条件においては、インターフェースは人間存在の非テクノロジー的要素の多くを表わすのにも適切な表現である。私が考えているのは、「閾値《スレッショルド》」（訳注：そもそもは『敷居、入り口』の意味）」、「誘導ページ《ドアウェイ》」、「窓《ウィンドーズ》」、そして「通路《パッセージウェイ》」といった簡単なものだ。それらは仕事や家のさまざまなアフォーダンス（訳注：環境が動物の行為を直接引き出そうと提供している機能）を形作るのに不可欠である。また、私はインターアクションのより複雑な特徴――境界を定めたり、通過したり――もここに含めている。高速道路《ターンパイク》、出発ロビー、駐車場、そしてモーテルの部屋といった、パーが「退屈」として分類するなかでも最も際立つものたち。これらは隙間にある空間であり、我々はどこかに向かう途中にとどまっていて、完璧な自分たち自身であるとは言えない。その目的地を絵葉書は仄《ほの》めかしはしても決して明示しない。「退屈」とは動きが取れなくなること、その状態に対して苛立ちを感じること、そしてそういう状態に二度とはまり込みたくないと痛切に感じることに関わる。退屈な絵葉書は幸福そのものである退屈な光景を、少なくとも最初の一瞥《いちべつ》では、退屈なものとして表わすのである。

パーの本で最も広範囲にわたる例の一つは、鉄道駅で待たされているときの退屈に関するハイデッガーの名高い議論である。今日ならさしずめ空港かバスターミナルに目が向くだろう。退屈な時間が永遠かと思われるほど続き、それと闘うあらゆる努力によっても——無料のワイファイでネットとつながろうとも、小さなショッピングモールをぶらつこうとも——退屈は決して充分には和らげられない。こうした気晴らしが刺激的になる可能性をすべて失ってしまうのは、我々がどこかよその場所に行くだけのためにそこにいるからだ。特に空港は、ネオリベラルの時代の鉄道駅と言ってよい。定義からすれば「どこことも確定されないゾーン」、その文字どおりの意味で「ユートピア」（訳注：Utopia は nowhere を意味するラテン語から作られた言葉である）。何も起こらず、何もしようがない「どこでもない場所」である。努力は意味がなく、落胆は決してはるか彼方《かなた》の話ではない。空港に意味があるとすれば、我々がそこをあとにして旅立つこと。[*3] 同じことは、人生のあちこちに散在するホテルやモーテルについても言える——我々が夜を過ごすためだけに訪れる、名もない一時的な居室。こうした部屋も（その匿名性と同質性によって気を滅入らせるが）インターフェースである。組織立っていて、居心地よくさえある部屋を我々が使うのは、必ずどこかほかの場所に行く途中。こうした場所から送られ、こうした場所を表象している絵葉書は、その隙間にある退屈さを痛切に感じさせる。

ときにはホテルでの短い滞在が長く続いてしまう。アルフレッド・ヒッチコックの『サイコ』（一九六〇年）に登場するベイツ・モーテルのシャワー室では、銀行強盗の儲《もう》けを持って逃亡中のマリオン・クレイン（ジャネット・リー）が、神経過敏なマザコン男、ノーマン・ベイツ（アンソニー・パーキンス）に切り刻まれる。*4 イーグルスの最大のヒット曲、「ホテル・カリフォルニア」（一九七六年）では、氷に冷やされたピンクのシャンパンを常備し、「メルセデスの歪み《ベンズ》」という不気味な苦悩の漂う洒落《しやれ》た宿泊施設が登場し、そこはいつでも好きなときにチェックインできるが――ネタバレ注意！――決して立ち去ることはできない。ソーシャル・プラットフォームのデザインの批評家たちは、そのデザインに埋め込まれている「サイトから離れがたくなってしまう」特徴を、「ホテル・カリフォルニア」効果という適切な命名をして批判する。これが、このあとに続く私の議論の中心的なターゲットだ。*5 我々は自分たちが使っているデバイスに騙《だま》されて、インターフェースにはまり込んでしまうのである。

最も鮮烈な例は、トマス・マンの小説『魔の山』であろう。エンジニアを志望して勉強している若き学生、ハンス・カストルプは、三日だけ滞在するつもりで贅沢《ぜいたく》なサナトリウムを訪問し、最終的には魔法にかけられたように七年間をそこで過ごしてしまう。サナトリウムがある山の澄んだ空気が結核の治療に役立つとされているのに、彼自身は結核に罹《かか》っているわけではない。日々が過ぎていくにつれ、カストルプは正確に言えば退屈するわけではないが、山のてっぺんでの彼の時間はどこか退屈である――満ち足りた怠惰が何も生み出さないという一般的な意味で。どうして彼は何かできないのだろう？　マンが示しているのは、時間自体が我々の気分や状態に従って広がったり縮まったりする、ということだ。結局のところ、七年間とは何だろう？　カストルプは、一時的な住居という隙間の空間が自分の永続的な状態にぴったり合っていると気づく。ほかの人々だったら、まさに同じ外的状態によって正気を失ってしまうかもしれない。

しかし、永続的に閉じこもることが危険であるホテルがさらにあり、それは哲学書を書くという仕事にまさに関わっている。一九六二年、ハンガリーのマルクス主義哲学者、ジェルジ・ルカーチは〝グランド・ホテル《深淵》〟というイメージを使い、終身在職権を得てぬくぬくと怠惰に暮らす仲間の理論家たちを批判した。「指導的ドイツのインテリゲンチャの大半は、アドルノも含めて、〝グランド・ホテル《深淵》〟に居を変えた」とルカーチは書いている。「それは――ショーペンハウアー批判に際して私が書いたように――〝深淵のふち、無、意味欠如のふちに立つ、美的で、あらゆる快適さを備えた、ホテルなのだ。そして快適に味わう食事の合い間、それとも芸術鑑賞の合い間に、この深淵を日々眺めるならば、かかる洗練された快適さの歓楽はひときわ高まろうというものである〟」[*6]。我々は快適さのなかに自分を見失ってしまう、とルカーチは示唆している。自分たちは厳しい批評の仕事に従事しているのだと自分を、そして他人たちをごまかそうとしていても。アドルノに関して私はルカーチよりもかなり寛大な見方をするだろうが、主たる議論はもっともである。哲学の存在価値は、マルクスの有名な言葉どおり、世界を変えることであり、単に解釈することではない。

私はこれからの議論で、その種の哲学のささやかな例を示していけたらと望んでいるわけだが、その前に一つの偶然について言及しておく価値があるだろう。トマス・マンはルカーチの好きな作家だったし、その膨大な文学批評のなかで擁護されている。実のところ、ハンガリーの哲学者であるルカーチは、『魔の山』に登場するレオ・ナフタのモデルであると言われていた。カストルプの知的世界を支配する、ユダヤ系でカトリック教徒の厳格なマルクス主義知識人である。彼は快楽主義の人文学者、ルイージ・セテムブリーニとひっきりなしに議論している（ナフタはこのイタリア人と決闘し、死ぬことになる）。とはいえ、ナフタはルカーチよりもはるかに気楽でシニカルだ――ルカーチはナジ・イムレの反ソ連政府に閣僚として一九五六年に加わり、その結果、処刑の恐怖に晒《さら》されて、ルーマニアに亡命しなければならなかった。

そして最後に、気分《ムード》についてひと言。あらゆる書き物が気分《ムード》を伝えていると私には思われる。そして、書き進むにつれ、それが変わっていく場合もある。ハイデッガーが指摘するように、気分《ムード》は単なる心理的な状態や感情の一種ではない。気分《ムード》は我々がこの世界にどう自分たちを見出すか、どのように生き、暮らしているかを表わしている。[*7]それは人間が世界をいかに捉えるかの根本的な部分なのだ。だから私は常に何らかの気分《ムード》に包まれている。気分《ムード》は我々が見る世界を条件づけ、反映している――我々がいかに自分たち自身と世界とに折り合いをつけているか。それは人間の存在に、我々の存在と展望の理解に、不可欠である。そこで私は、これからの四つのセクションのそれぞれで、支配的な気分《ムード》についての近況をアップデートすることにしたい。こうしたアップデートは読者にとって啓発的かもしれないし、そうではないかもしれない。しかし、いかなる本も気分《ムード》がその成立条件の一つなのだから、それを読者と共有しようという精神から、ここに掲げることにする――特に学問の世界の書き物においては、気分《ムード》の条件の重要性があまりにも頻繁に否定され、遮断されているので。本は結局のところ人間によって書かれている。少なくとも、そのほとんどは……。

注

＊1 Martin Parr, *Boring Postcards*, rev. ed. (London: Phaidon, 2004)

＊2 Luc Sante, *Folk Photography: The American Real-Photo Postcard, 1905-1930* (Portland, OR: Yeti Publishing, 2010) を参照のこと。

＊3 空港に住むというアイデアが本質的に奇怪である――喜劇的でないにしても――という理由がこれである。スティーヴン・スピルバーグ監督の二〇〇四年の喜劇映画『ターミナル』（主演トム・ハンクス）では、アメリカ入国を拒否された男が、ニューヨークのＪＦＫ空港から出られなくなり、そこで過ごすさまが描かれている。彼は内戦のために本国に帰ることができず、すぐに空港という場所ならぬ場所でこっそりと暮らすことに順応する。物語は部分的には、パリのシャルル・ド・ゴール空港で一八年間、一九八八年から二〇〇六年まで暮らしたイラン人難民、マーハン・カリミ・ナセリの実話に基づいている。もちろん、二〇一八年現在、アメリカの国境から追い返され、しかし戦争で引き裂かれた祖国に帰ることもできない難民たちの運命を考えると、そこにはいささかの喜劇性も残されていない。空港ターミナルの代わりに、いまはアメリカ・メキシコ国境に強制収容所があるのだ。

＊4 スラヴォイ・ジジェクは彼の『汝の症候を楽しめ――ハリウッドvsラカン』（鈴木晶訳［筑摩書房］）の一つのセクションで、『サイコ』のモーテルの建築について詳しく考察している。「もしベイツ・モーテルが［フランク・］ゲーリーによって建てられ、老いた母親の家と平屋のモーテル

が直接つながって、新しい混成ビルになっていたら、ノーマンが犠牲者を殺す必要はなかったかもしれない。というのも、二つの場所を走って行き来しなければならないという耐えがたい緊張から解放されたであろうから——両極端のあいだを仲介する第三の場所が得られたであろうからだ。この議論は『スラヴォイ・ジジェクによる倒錯的映画ガイド』（ソフィー・ファインズ監督、二〇〇六年）でも繰り返されている。私はゲーリーが設計した混成ビルというジジェクの空想に基づいて、この垂直と水平の緊張という考えを次の論文で論じている。Kingwell, "Frank's Motel: Horizontal and Vertical in the Big Other," in *The Ends of History: Questioning the Stakes of Historical Reason*, ed. Joshua Nichols and Amy Swiffen, 103-26 (New York: Routledge, 2013. また、独立したイラスト入りパンフレットも出版した (San Francisco: Blurb, 2013)。

＊5　Victor Pineiro, "Navigating the 'Hotel California' Effect of Social Platforms," *Digiday* (17 April 2015), https://digiday.com/marketing/navigating-hotel-california-effect-social-platforms/ 「ソーシャル・プラットフォームは離脱することへの不安を掻き立てるように築かれている。新しいフィーチャーはすべてあなたをサイトにより長くつなぎとめ、そのコンテンツ（とその広告）を吸収するようにデザインされているのだ」とピネイロは書いている。「我々はこうしたサイトを立ち去りたくない。ホテル・カリフォルニアから出られない状態でいたい。我々自身のデバイスの囚人でいたいのだ」。ここでは one's own device（「自分の思うように」という意味）と「デバイス」を掛けているのだが、この洒落は必然であり、おそらく許容範囲内であろう。

＊6　ジェルジ・ルカーチ『小説の理論』序文（訳注：『ルカーチ著作集2』、大久保健治、藤本淳雄、

高本研一訳〔白水社〕を参照した)。スチュアート・ジェフィリーズはフランクフルト学派を広範に考察する本のタイトルにこのフレーズを使っている。Stuart Jeffries, *Grand Hotel Abyss: The Lives of the Frankfurt School* (London: Verso, 2016)

＊7 Martin Heidegger, *Being and Time*, trans. John Macquarrie and Edward Robinson (London: Blackwell, 1962), 173

第1部　条件

—気分《ムード》の報告—

薄気味悪く、落ち着かず、欲求不満

友人たちよ、人生は退屈だ。そう言ってはいけない。

ジョン・ベリマン「ドリームソング 14」
（1969年）

しかし、哲学において、生ぬるくて陳腐なものの背後に、
計り知れぬほど難解な問題が隠れていないケースは
一つとしてなかったのである。

マルティン・ハイデッガー『形而上学の根本的概念』
（1929～30年）

ここにいられたらいいのに

退屈は人間の経験のなかで最もありふれたものの一つであるが、完璧な理解を常に拒んでいるように思われる。我々はみな退屈になるとはどういう感じかを知っているが、正確には何がそれを促進し、構成し、あるいは退屈の状態からどのようなものが生まれるかについては、明らかだとは言いがたい。退屈とは余暇がもたらすものなのか――ゆえに、一部の批評家がこれまで主張してきたように、たとえばショーペンハウアーの時代以前にはそのようなものはなかったのか？　あるいは、中世の無関心《アクシディ》がその正当な先祖であり、とりたてて何もしたくないという日常的な絶望と罪の意識を含んだものなのか？　退屈は欲望をもつれさせるのか、それとも個人的な状態をか、その両方か？　つまり、私が食料でいっぱいの冷蔵庫を見て、何も食べるものがないと不平を言ったら、あるいは一〇〇ものケーブルテレビのチャンネルを次々に変えていき、何も見るべきものを見つけられないとしたら、正確には誰を、または何を責めるべきなのか？

となれば、退屈の状態について、あるいはそれに似た状態について、多数の知的な解説があるのも驚くにはあたらない。ここにはショーペンハウアーとキルケゴール、そしてハイデッガーからアドルノに至る、優れた哲学者たちの小さな伝統が含まれるとともに、退屈の持つ「創造的」可能性を追究する近年の活発な心理的研究も含まれる。*1 同様に、テクノロジーと文化に関する現代の言説内部には、退屈の危機についての懸念が頻発している——さまざまな道具によってそれをいかに特定し、取り組むことができるか、そしてなぜこれが推定上必要なのか。

退屈に関するこれまでのあらゆるモデルにおいて、その最終的結論が肯定的であろうと否定的であろうと、問題の「自己」は安定しており、経験に対して開かれているという前提があった。つまり、我々が退屈を求めようと、恐れようと、手なずけようと、悪《あ》しざまに言おうと、退屈の想定される主体の哲学的立場はだいたいにおいて不透明だ。なぜなら、すでに理解されているというのが前提だからである。こうした文献においてさえ、とりわけハイデッガーや精神分析的文学では、これが全面的にはうまくいかないという感覚がある。退屈は与えられた風景の問題というよりも、その風景に向かい合っている、あるいは単純にそのなかにいる人間の問題なのだから。

退屈は、砕かれた主体性、あるいは実体のない主体性とその幸福との関係について、何を明らかにするだろう? 一世紀前、モダニズムの詩人や芸術家は二〇世紀の人間の分裂した自己を表現しようとした。一貫した個人性なるものが新しい社会的かつ政治的状況によって引き裂かれ、我々はせいぜい廃墟《はいきょ》に残された断片でしかなくなっているさまを描こうとしたのだ。今日、問題は新たな形で切迫したものとなっている。それは、我々の自己が意図的に拡散されたデータの断片になったからだ――ツイッターやインスタグラムの投稿、買い物の嗜好《しこう》、そしてテキスティングの傾向――こうしたものを把握しているアルゴリズムは、我々自身よりも我々のことを知っているように思われる。このような状況において、統合や安定への希望など持てるだろうか？　そして、本書の趣旨に関して言えば、それがどのように退屈と関わるだろうか？　我々は退屈の条件に関する異なる説明をより正確に分類することで、その答えを具体化し始めることができる。それとも、「諸条件」と言うべき？　というのも、明らかに最初に気づかずにいられないのは、関わる経験が実にさまざまで、それを批判するか（より稀《まれ》なケースだが）祝福するかするときに使われる理論的枠組み次第で変わるからだ。いつもと同じように、我々は考えの体系、特に方法論的なものが、なぜ存在しているかを意識しなければならない。こうした体系は、ある結果を生み出すために存在しており、そもそもその種の結果を選び出すことを意図されて作られているのである。

しかし我々は、少なくともたくさんの刺激に晒されている地球の豊かな部分に住む者たちはみな、問題に気づいている。私はいまスクリーンの前に座っている。ネットフリックスの番組を見ながら、数分おきに新着メッセージを知らせる短いメロディに応えてメールをチェックする。時間によっては、近くのテレビを点け、無音で野球放送を流す。机に置いたスマートフォンには知人からのボイスメールが届き、日常の些細《ささい》なことに関するメッセージが容赦なく入ってくる。私はそのうちの一部に返事をする。別のタブではブラウザのウィンドーを開いておき、自分の衰えつつある記憶力を煩わせることなく、ファクトチェックできるようにしている。あるいは、忘れかけていた本をアマゾンで注文したり、突然そうしたいと思えば、ホットリンクのトンネルに入り、私のいわゆる「人生」とわずかだけ関連するとはいえ、忘れがちなものを求めてさまよう。そのどれか一つに集中することはできない。まして、スクリーンが放つ光に背を向け、別の現実に入っていくこともできない。私は混乱し、落ち着かず、刺激を受けすぎている。関心をあちこちに向けることで自己をすり減らしている。私はゾンビであり、幽霊であり、私の快適さと娯楽のためのものとされているテクノロジーと資本の大きな枠組みのなかで、宙ぶらりんになっている。そして、それでも、それでも……身の置き所がないように感じている。

それはそれとして、これに続く議論における私の偏見に関してきちんと警告しておくために——それから、メディア過剰摂取の発作をときどき起こすけれども——私はここで自分がある種のネオ・ラッダイト（訳注：ラッダイトは産業革命期に機械打ち壊しを行ったイギリスの手工業労働者）であると断わっておかなければならない。フェイスブックやツイッターやインスタグラムは使っていない。ツイッターのアカウントはあるが、ツイートはしていない。テキストメッセージも送らない。「代書人バートルビー」（訳注：ハーマン・メルヴィルによる一九世紀半ばの中編小説で、代書人として雇われながら、仕事を拒絶して事務所の壁に向き合うばかりの青年を描く）ではないが、「せずにすめばありがたい」。私が持っている携帯電話は見事なほどローテクの折りたたみ式で、一九六〇年代の子供でもなければ、誰もスマートとは思わないだろう。ただ、私はこれをファッション誌が言うような意味でスマートだと思っている。私の両親でさえ、オンラインで私よりも長い時間を過ごしている。これが今日の人々の生き方ではないということ、人々の望む生き方ではないということはわかっている。しかし、これこそがいまの議論の要点なのだ。当然ながら、私のささやかな拒絶に特別な美徳などない。それは中年男の奇癖というか、二一世紀に認められた形での大学教授らしい変人ぶりにすぎない。ネオ・ラッダイトの生活様式という選択が贅沢品であることは、絶えず明らかにされ続ける——贅沢品がそこらじゅうに溢《あふ》れている経済において、逆の極端を選べるという贅沢なのだ。

　退屈は、特に私が「ネオリベラル的」と名づける退屈は、関心経済《アテンション・エコノミー》（訳注：人々の関心を取引の材料とする経済）の働きに依存してその力を得ている。我々はその経済に進んで参加する者たちだ。浸透する気晴らし、提供されるつながりやコミュニケーションという形で、ソーシャルメディアやそのほかのオンラインのメカニズムは我々の関心を獲得するように働く。サイトはヒットの数、あるいはユーザーの熱中度で格付けされる。一方、関心を摘み取られている者たちは、「いいね!」やリツイート、友達やフォロワーの数の多さで自己を祝福する。こうしたすべての行為において、我々は関心経済の仕事を果たしているのだ。我々は自分自身を餌として生きるように強いられ、欲望と関心自体を商品としてしまい、無料で分け与えている。しかし、私がこれから論じるように、この不気味な経済の根にあるのは、特定のプラットフォーム、あるいはメディアではない。むしろインターフェースだ——個人性、欲望、テクノロジー、構造的利害が結合した、複雑な、そしてしばしば目に見えない関係の集積。すべてのインターフェースがスクリーンにつながっているわけではないが、自己や自己の欲望とつながっている。関心経済内において、我々は自己が商品化されることにより、図らずも資本のための労働者となる。また、連続的に退屈に苦しむことになり、苦しみの緩和を偽って約束する手段にしばしば中毒して、同じことを繰り返す。ここに座っている我々は影のような存在であり、自分自身の関心から切り離されて、内部からくりぬかれる。

インターフェースとネオリベラル的退屈へのこうした批判は、標準仕様の文化批評的啓示を提供しない。インターフェースのいくつかの特徴は我々の目には見えず、ゆえに批評的な精査が必要になると私は主張するが、関心経済の最も目立つ特徴は、それがイデオロギーを含んでおり、しかも隠れていないということだ。ソーシャルメディアとオンラインの巨大企業は、我々の見たい、話したい、タイプしたいという欲求に働きかけることで、我々のデータの収集を堂々とやっている。我々を驚かせるのは、彼らが不正にデータを売買したときだけだ——フェイスブックとケンブリッジ・アナリティカ（訳注：イギリスのデータマイニング会社）の例を見るといい。しかし、ここでも上院公聴会での「あの企業は大きすぎて潰すわけにはいかない」という論理に加え、老人たちのインターネットへの無理解がたっぷりと注ぎ込まれて、経済的な勝利を収めた。*2 結局のところ、経済学入門講義で学んだ者たちにとって、ユーザーから料金を取らずに数十億ドルのビジネスが維持できるというのは驚くべきことだ。その理由は、それぞれのユーザーがユーザー料をドルで支払うのではなく、時間、心的エネルギー、そして人格を犠牲にすることで支払っているからである。我々がインターフェースを利用していると思いきや、実は我々が利用されているのだ。退屈はここでは兆候であり、病ではない。この比喩は不完全だが、有用だ。心的不安は活動していないウイルス――退屈は兆候を示すだけの病なのである。インターフェースに関わるのは感染した段階を示す。比喩を臨床的なものから神話的なものに変えるなら、退屈とは我々がお祓いをしたいと思う悪魔であり、和らげたいと願う苦痛だと言うこともできる。それでも、我々が安らぎを求めて普段使う手段は、自己と闘う魂の内面の荒廃を広げることにしかならないのである。

新しい経済は新しい労働者を作り、新しい商品を作り、新しい不正を生み出す。関心経済の社会的コストにどのようなものがあるかはすでに示されてきた――アマゾンの商品を荷造りするといった手仕事が増えたが、それはオートメーション、ロボット、ドローンなどにシステマチックに取って代わられている。短期間のサービス業が主流になり、それは安定性もインフラもない。そして、スクリーンに支配された生活の無活動状態から来る、いまはまだ付随的だが重要なものもある（肥満、非識字など）。しかし、中心となるコストはおそらくこれほどはっきりとしていない。仕事と幸福の変わりつつある関係については、このあとのセクションで詳しく語ることにしよう。当面は、次のことを指摘するにとどめたい。退屈とは、想像力が乏しいティーンエージャーに固有のものでも、想像力過多の哲学者に固有のものでもない、ということだ。我々が自分で自分を消費する生産品になったら、仕事の概念は決定的に変わってしまう。過去において、仕事はその拡張していく力によって認められた――仕事の時間とそれ以外がはっきりと区別できなくなるほど、時間自体を占拠し、広がっていくことで。我々のいまの状況はもっとひどい。インターフェースは退屈を助長し、我々をみな広告主たちのために無償で働く労働者にしてしまう。そして広告主たちは、表面上はコストのかからないプラットフォームを支えている。我々は、無料の取引などないのだということを心に刻まなければならない。この種の取引において、あなたは自己の個人性、自由、幸福を代金として支払っているのだ。

カテゴリー

ここで退屈を、あるいは退屈の病因と機能を分類したい。退屈の分類は、退屈の言説をさらに進める――あるいはより正確に言えば、それを私が政治的な問題として適切な場だと捉えているところに戻す――どんな試みにおいても必要となるだろう。つまり、私はネオリベラル的退屈という特に現代的なケースを取り出し、その形の退屈がいかに複雑に現代の自己や不幸の状況とつながっているかという問題を追究したい。それ以外の形の退屈、特にいわゆる「創造的な」条件に基づく退屈は、このあとの研究でも適切性を持ち続けるだろう。もちろん、これに続く概念に基づく分類は、厳密に哲学的な分析が好むような固定したものでも、ほかと交わらないものでもない。また、分類においてよくあることだが、関連する概念の体系に適合する証拠をさかのぼって見つけ出すという危険がある。にもかかわらず、ネオリベラル的退屈は概念の形成物というだけでなくイデオロギーの形成物でもあり、ゆえに（存在の明らかさはともかく）実質的には不可視になろうとするため、次に進む前に、一般的な退屈という織物からこうした糸をほどいておく価値がある。私には、退屈には五つのはっきりした形、あるいは様式があり、それは区別できるものだと思われる。

1．哲学の起源としての退屈

退屈に関する標準的な哲学的説明は、どこに重きを置くかでさまざまな違いがあるものの、穏やかに自己を祝福するという共通の雰囲気がある。ショーペンハウアー、キルケゴール、ハイデッガーらが、ここでは目立つ存在だ。それぞれが、退屈という主観的には不愉快な経験について、哲学的な啓示を含むものだと示唆している。ここで示される考えは、生硬な言い方をすれば、自分が退屈していると気づく経験は実存的危機を引き起こし、それは気楽な自己を問い直すくらい深刻な規模のものだということ。どうして私のいくつもの欲望はこんなにもつれてしまったのだろう？　一つとして一貫した欲望の型にはめることができず、袋小路から袋小路へとよろよろ渡り歩くだけではないか？　退屈は近代とともに生まれた状態だと言われてきたし、それはある程度正しい。目標のない欲望を抱き、はっきりとした目的のない時間を過ごすことが多くなったからということだ。我々はそこから先に進もう――退屈は近代の状況の本質的な特徴である。というのも、それは満足感を得るための方法が見つからずに困惑する自己の状態を示しているからである。

このことは強調しておく価値がある。退屈をこのように捉えることは、退屈が哲学の起源であるとして示すだけでなく、見事な対称関係で、この哲学的な捉え方が退屈に関する説明の起源だということも示している。つまり、こうした哲学者たちが退屈を対処すべき欲求と自己の危機として捉えることは、退屈に関する標準的見方と我々が見なすべきものであり、それを背景として、ほかの（特にもっと現代の）観念が提示されているのだ。これは本書の目的にとって重要である。というのも、哲学的な退屈への回帰は――退屈をゼロにしようとしたり、逸《そ》らそうとしたりする退屈の観念とははっきりと違って――私が提示しようとしている批評的議論の一部だからである。私はこの回帰に政治的な次元も加えたい――部分的にはアドルノによる退屈の説明に基づくが、そこに現代のひねりを加えるつもりである。

2. 精神分析的退屈

キルケゴールにあるように、退屈に関する伝統的な哲学的言説に最も密接な関係を持つものとして、ここでは、「欲望のもつれ」とでも呼ばれるものに注目したい。欲望が相容《あいい》れないとか、根本的なものと二次的なものとが両立しないとか、あるいは特定の欲望が愕然《がくぜん》とするほど存在しない、などの状況だ。退屈に関するすべての可能な説明のなかで、欲望の分析を、特にもつれた欲望の分析を中心とするものは、この毎日の経験における真の重要事項に最も接近する。しかし、ここにしばしば欠けているのは、もつれの――特にその時期の資本とテクノロジーの条件との関係における――社会的かつ構造的次元なのである。

精神分析学者、アダム・フィリップスの言う「欲望への願望」[*3]は、創造的な退屈が逆説でありながら有用でもあるのとは異なり、純粋な逆説であることが強調される。欲望が自己に逆らって停滞することは、退屈の終わりではなく始まりだ。このように退屈は欲望を、意識を、そして意味を求める強い衝動を照らし出す。ここで我々は動きを止められ、我々の欲求はそれ自体のギヤをすり減らすメカニズムによって妨害される。あるいは、別の機械のメタファーを使うなら、無意識のうちにクラッチが入ってしまい、エンジンが全開になっている。そこではエンジンが適切につながれていないため、牽引力《けんいんりょく》は持ち得ない。この問題を少なくとも部分的に理解していたT・S・エリオットを引用すると、我々は「気散じによる気散じから気を散らされ／空想と空虚な意味でいっぱいになり／集中できず、大げさな無感動へと落ち込む」[*4]。欲望は狂った主人か錯乱した親のようなものになる。常に注意を払うことを要求し、その注意をどこに向けるかについては、はっきりとした方針を示さない。したがって二重拘束に囚《とら》われてしまい、動けばもつれがさらにひどくなるだけで、すべての動きが封じられる。たくさんの釣り糸を垂らし、糸が絡んでしまうように。

伝統的な精神分析の用語では、このように言えるかもしれない。退屈の場合、無意識の欲望が抑圧されることで神経症という形を取ったり、その兆候を示すわけでもない。むしろ、欲望の全般的麻痺《まひ》は、阻止現象（訳注：本人の気づかない心理的要因による行為・思考・知覚の一時的な中絶）の神経症的な現われである。ゆえに退屈による不安や、ぼんやりとした不満が起こる――一貫した欲望を抱けないために漠然と当惑し、それでも、麻痺した状態から脱却しようと思うほどには当惑していない。たくさんチャンネルがあるのに、見るものがない！　こうしてフィリップスは、混乱と無方針の欲望といった条件下、退屈が一種の精神的予防法として機能すると主張する。「退屈は個人を守っているのかもわからない。自分が何を待っているのかもわからずに待ち続けるという、やりきれない経験を耐えやすいものにするのだ」と彼は述べる。「したがって、退屈したまま待ち続けることの逆説は、自分が何を待っているのか、それを見つけるまで個人にはわからないということであり、しばしば自分が待っているということもわかっていないのである」[*5]。ここにおいて、これは退屈を歴史的に研究したピーター・トゥーヒーの判断と呼応する。「退屈は、ダーウィンの進化論に基づくなら、適応性のある感情である。その目的は、繁栄の力となるように意図されているのだろう」[*6]。ここで古典学の教授であるトゥーヒーが「繁栄」という言葉を使ったのは意義深い。美徳と強固な形での幸福（エウダイモニアと呼ばれる）というアリストテレス的な響きを感じさせずにいられないからだ――古代の哲学者が言ったように「充実した人生を送ること」。しかし、ここで我々は通常「創造的」退屈と呼ばれるものへと踏み込んでいるのかもしれないし（このあとの第4のセクションを参照されたし）、哲学的な退屈のほうに戻っているのかもしれない（第1のセクション）。

フィリップスは同じエッセイで、退屈は「自由に変動する関心と似たものである」と言う。それは同様に、創造的退屈とも結びつく、生産的な「取りとめのない空想」も示唆するかもしれない。「退屈は、自分の時間を使うプロセスに欠かせないものである」と彼は述べる。我々の関心が自由に変動していくとき、特に精神的な阻止現象か停滞の結果である場合、おそらく新しい幸福の選択肢が開かれ、新しい突破が可能になる。おそらく。しかし、「自由に変動する」のは安定しない状態だ。たとえば記号論における、自由に変動する「意味するもの《シニフィアン》」が混乱と無秩序しかもたらさないように。「自由」とか「正義」といった言葉は、何を指示し得るかに関してあまりに無制限であり、みなが同意した意味とは完全に乖離《かいり》してしまっている。ジェニファー・イーガン（訳注：一九六二年生まれのアメリカの小説家）の言う「言葉の外皮」の例だ。生きている有機体や純粋な指示物が意味の皮を剝がされ、語義の現場から離れると、脱ぎ捨てられた甲殻、あるいは外皮が取り残される。[*7] 関心も言語も自由に変動する、そのような状況下では、意味は意味を持たず、欲望は固定した対象を持たない——ジャック・ラカンとジジェクが主張するような、「さかのぼって据えられていた」ものさえもない。[*8] 彼らの説明によれば、カテクシス（訳注：リビドーが特定の人・物または観念に向かって注がれ発現すること）は浸透し、差異化されぬままに組織化を求めるが、意味の構造がないために組織化されない。ゆえに欲望の対象は、ほとんどの人が考えるように、我々が世界に降り立つ以前からすでにあるわけではない。むしろ、我々が何かを特に求め、固定化せずにいられないために、欲望の対象は作られる。そしてこの固定化が、さかのぼって自己を据える行為の一部なのである。

本書の第2部で見ていくが、「真実」もこうした「言葉の外皮」の一つであり、私がここで「条件」と呼ぶものの複雑化に関わっている。これ以前の著作で論じたように、「言葉の外皮」の概念はより包括的な効果を持つ幻影を提示する。我々はいま、実質的には「人の外皮」にすぎないのだろうか？　かつてはより強固な個の持ち主だと思っていたのに、いまでもそのように思い描くときもあるのに、実際にはその抜け殻なのか？[*9]「人の外皮」は欲望が否定された状況ではない。それよりも、経験する世界があまりに多くの欲望で形成され、あまりに多種多様なので、ノイズとなって互いに打ち消し合ってしまう。そのため、自己をさかのぼって据えることも無駄な仕事であり、自作自演の詐欺となるのである。約束されてはいるが幻想である個別化の迷路内における、この低いレベルでの地獄のような監禁状態は、現在の政治的かつ科学技術的条件下での自己のゾンビ化を表わす一例だ。そしてここでも、退屈は我々の批判的な関心の重要な場なのである——もし自分自身を問う努力が我々に可能なら。

3．政治的退屈

アドルノが概説する資本主義下での「余暇」または「自由時間」の危険性が、ここでは中心的テキストである。この見解に基づくと、退屈とテクノロジーを論じる現代の言説において、特に政治的な次元への力点の置かれ方がまったく充分とは言えない。たとえば、テレビと余暇について、アドルノの説明が考慮されているところでも、批判的考察をアップデートし、我々の世界特有で前例のない状況に合わせようという試みがほとんどなされていない。もはや人々はかつてテレビを見ていたようにはテレビを見ていないし、「余暇」は夜や週末に限定されず、つまり仕事の時間とはっきり切り離されている（ゆえに陰の助力者となっている）とされる時間だけではない。現在の主体性の状態とそのメディアとの関係について批判を試みるなら、その問題の緊急性をフルに説明しなければならない――悲しみのあまり手をもみ絞ったり、どこかに罪を着せるのではなく、微妙な構造的分析を要するのだ。退屈は単純に、いくぶん苛立たしい日常の経験というわけではないし、さらなる調査を受けつけない実存的状態でもない。それ特有の形における戦闘への召集である。

アドルノの政治的退屈への批判は、仕事の観念と余暇の観念とのあいだで統合が進んでいることへの全般的批判と、深く結びついている。余暇は仕事場での「遊びを含む」要素――スライド、娯楽室、カジュアルなドレスコード、ペットの施設など――という形で、仕事の時間に吸収されているか、あるいは余暇の時間自体が努力と競争の場とされている。この二つが同時に進行することもある。近代の労働者にとっては週末だけ必死に遊ぶというのが典型的だったが、現代で必死に遊ぶというと、根深いところで仕事の全般的な束縛から逃れられないことの裏づけになっているのだ。こうして現在の余暇の時間の退屈は、より深い無気力の結果として生じる――個人が仕事上の自己だけにされてしまったときに降り立つ無気力。この分析の下では、退屈は政治的なものである。労働と個人の関係において、すべてがうまくいっているわけではないという感覚を示しているのだから。そして、私が別のところで「理念としての仕事」

と呼んだ網に個人が捕らえられ、宙づりになっているという感覚だ。「理念としての仕事」はいわゆる賃金労働ではなく、まして「天職」という意味において想像するような高貴な労働ではなく、人間はそもそもこの世界に存在するためには働かなければならないという理念である――これは非常に浸透しており、ほとんど反論されることもない。アドルノの分析はまだ適切だが、現代に合わせて更新する必要がある。中心的な職場の崩壊と、ギグエコノミー（訳注：インターネットを通じて単発の仕事を受注する働き方のこと）の出現と拡大が――その結果、労働者は短期間の、そしてしばしば不定期な仕事でわずかな生活費を必死に稼ぎ出すようになった――資本主義的搾取と社会的疎外化の新形態を示しているからだ。

ギグワーカーたちは伝統的な意味で自分の労働から疎外されているのではない。つまり、自分の労働による生産物が商品化されて売られるが、その利益の分け前を得られないということから来る疎外ではない。ギグエコノミーはより深く、より致命的な形の疎外を生み出す。その存在自体が他人の気まぐれによって作られた仕事にはまってしまい、労働者は自分自身から疎外される。同時に、仕事で全般的に求められること――それが社会との関わりや自立を促進するという考え――は、絶えず基準が上げられており、いくら働いても充分ではないと思わされる。ギグワーカーたちが無理して頑張ったという「鼓舞するような」話には事欠かない――リフト（訳注：アメリカの運輸ネットワーク企業）の運転手である妊婦が、分娩《ぶんべん》に向かいながら乗客を送り届けることに固執したといった話である。「従業員が生活費を稼ぐためにどれだけ必死に、どれだけ長時間働かなければならないかを、会社が世に喧伝《けんでん》するというのは、その会社自体が条件を定めていることを考えれば、かなりディストピア的な二重思考を要する」と評論家のジア・トレンティーノは言う。「この種の鼓舞を装う話は、会社の広告にもニュースにも、このところどんどん出ている」[*10]。

たとえばギグサイトのファイヴァーは、「フリーランスのサービスのためのオンライン市場」であり、そこでは「最低五ドルからサービスを売り買いできる」と高らかに自己宣伝している。二〇一七年には「私たちは行動派を信頼します」という広告キャンペーンを展開、そのプレスリリースには次のようにある。「このキャンペーンによって、ファイヴァーが今日《こんにち》現われつつある時代精神を摑《つか》んでいることが示されるはずです。企業家の柔軟性、迅速な実験、そして、より少ないものでより多くを成し遂げるといった精神です。ファイヴァーは官僚的な考えすぎ、分析による麻痺、そして過度の会議に逆らって進みます」。これを聞くと……というか、聞いてもよくわからない――退屈な官僚的中間管理に風穴を開けようという「革命的」な試みを目指しているように見えるが。トレンティーノが言うように、「こうした特殊用語を通して、ギグエコノミーの本質的に残忍な性質が飾り立てられ、美学のように見える」。そもそもなぜギグの必要があるのかについて批判的に分析することは、考えすぎではない。これを新しい経済の現実として軽率に受け入れることが、許されざる「考えなさすぎ」である。

いつでも不確かで、いつでも次のギグを待っているギグワーカーの退屈は、ゆえに同じ仕事をし続ける料理人やオフィスワーカー、工場労働者たちの退屈とは異なる。「急げ、そして待ってろ」というギグの働き方は、その気が滅入るような命令が使われている別の場所と強く結びつく――それは歩兵たちのとんでもない退屈であり、おそらく彼らによってこのフレーズは作られたのであろう。ファイヴァーのキャンペーンにある、元気のいい「行動派」のエトスを受け入れることで、この退屈に対抗できるが、はっきり言ってこれは正気の沙汰ではない。こうした企業で働く人たちは『ひとりぼっちの青春』（訳注：ジェーン・フォンダ主演の一九六九年のアメリカ映画）でダンスマラソンに参加し、気がふれたように踊り続ける者たちのようだ。これは大恐慌時代の自暴自棄な状況を描いた侘しい寓話《ぐうわ》――仕組まれた競争から抜けられなくなり、果てしなく格闘し続ける退屈である。

もっと安定した仕事でなら、問題はずっとましであるというわけではない。デヴィッド・グレーバーが「ブルシット・ジョブ」と切り捨てる仕事――何の意味も価値も作り出さない職業――に就いている人たちは、同じように、退屈ではあっても仕事は必要であるという資本主義の幻想に囚われている。[*11] グレーバーは資本主義のシステムに構造的に埋め込まれた借金のサイクルについても積極的に発言してきた人だが、ここではだいたいにおいてホワイトカラーの仕事でありながら無益で、従事者もそれがわかっているものを攻撃している——人事コンサルタント、コミュニケーション・コーディネーター、テレマーケティング・リサーチャー、会社顧問弁護士など。そしてブルシット・ジョブのさまざまなカテゴリーに呼び名をつける（脅し屋《グーン》、取り巻き《フランキー》、書類穴埋め人《ボックス・ティッカー》、尻ぬぐい《ダクト・テーパー》、タスクマスターなど）のだが、それらは必然的にまとめて多形態ブルシット・ジョブ複合体となる。決まりきった仕事ではなく、実体がないわけでもなく、変化はあるが安定していて、だから面白いように見える仕事だ。しかし、これは単なるでたらめ《ブルシット》に関するでたらめ《ブルシット》である。

すべてのブルシット・ジョブが退屈なわけではないが、退屈を引き起こす可能性は非常に高い。その理由は、単純に、こうした仕事の無意味さがとても明らかであるからだ。したがって、ビジネス雑誌が退屈しているオフィスワーカーに送る快活な助言——この種の記事の一つは、時計を取り除くこと、動物の写真を見ること、人工日焼け用のライトを使うこと、妬みを誘いそうなソーシャルメディアから去ることなどを助言する——は理解できるが、こうした楽観的な対策は、ギグワーカーにもブルシット・ジョブの就業者にも同じように不適切である。[*12]ここにおいて、退屈を批判する伝統的な（マルクス主義的分析に根を持つ）政治的議論は、私がネオリベラル的退屈と呼んできたものの批判的検討に取って代わられなければならない（このあとの第5セクションを参照されたし）。しかしそのステップを踏む前に、我々は別の形態の退屈を考える必要がある――あるいは、より特定するなら、退屈のイデオロギーの一形態を。それは、よくても激しい苦痛と考えられているものに、肯定的なひねりを加えようとするのである。

4.「創造的」退屈

昨今の心理学的研究は、第1セクションでの議論をより科学的に、しかし同時によりわかりやすく展開している。それはつまり、退屈は主観的に不快だが、場合によっては生産的だとして理解するのである。こうした研究とは競合する心理学的研究も、当然ながら補助的な役割を果たす――退屈の知的作用に対する害、場合によっては肉体的な害にも関する、心理学的研究だ。こうした競合する、ときには複雑に絡み合った言説のどちらもが、退屈についての――特にテクノロジー、人工の環境、仕事場などとの関連における退屈についての――日常の言説で優位を占める傾向がある。

たとえば、退屈を究極的には活性化につながるものとして擁護する、最近の記事を見てみよう。それは、長い目で見れば、少々の退屈が世界を全体としてより面白いものにするのだと論じている。「何かをやりたくても、満足のいく活動に携われないという、苛立たしい経験として退屈は理解されている」とローズクランズ・ボールドウィンは書いている。「しかし、これは極端に短命な感情であり、空港や歩道、森で過ごす午後などには完璧な感情である。おそらく二分も経《た》たぬうちに、僕は何か注目に値するものを見つけ出す」。さらに続けて、「退屈しているときに僕はこんなことを考えだした。そもそも賢くあるためには、馬鹿でいる時間が必要だ。じっと黙っている時間――犬の吠《ほ》え声《ごえ》とか、車のタイヤがキーッと鳴る音、古い映画を観《み》ている近所の人の囁《ささや》き声しか聞こえない。何もする気になれず、ぼんやりとするためだけの時間というのは、物事に興味を持とうという欲求を再活性化してくれるだけではない。それは興味深い人間であろうとする、少なくともそのために努力しようという、エネルギーを僕に与えてくれるのだ[*13]」。

ボールドウィンは続けて、日常における退屈の経験を例として示し、そういうときに味わえる喜びを強調する。郵便局で列に並んでいるとき、同じ状況下で苛ついている別の人の言葉を小耳にはさむといった喜び。鮮烈なのは、毎日の退屈がヤク中っぽい脚本家との出会いにつながった経験だ。もちろん、これが「創造的」と言えるかどうかは議論の余地がある。

心理学的研究は、これまでその発見に関してより正確ではあったが、何が創造的と見なされるかに関しては、それほど啓発的ではなかった。実際、心理学的研究をよく検討すると、退屈を癒すための治療的なプログラムが見えてくる。否定的とされる特徴を創造的思考へのチャンスと位置づけることにより、退屈は白日夢や取りとめのない空想、ブレインストーミング、その他「新しい考えをする」または「側面的思考」といった戦術として、効果的に再定義（そして無害化）されるのだ。このように退屈を戦術的に馴染《なじ》ませ、飼《か》い馴《な》らすことは、哲学的退屈の対極だとわかる。哲学的退屈が約束するのは将来における救済ではなく、新たな不安だ。いわゆる創造的退屈では、退屈を中途半端にしか真剣に捉えられないのである。

5．ネオリベラル的退屈

ネオリベラル的退屈についての批判的分析が緊急に求められているのは、部分的には、ほかの研究がこれに関して明らかに目配りしてきていないからである。しかし、それ以上に深刻なのは、この進展しつつある状況において、「安定している」とされてきた主体性が危機に瀕《ひん》しており、そこにまだ注目が集まっていないからだ。

退屈に関するこうした説明のすべては、次の確信を持つという点で共通している――このごく普通の、人間としてあまりにありふれた経験が、より大きなものを明らかにするということ。洞察されるより大きなものが何かについては、当然ながら意見が分かれるだろう。私がここで論じるのはその意見の不一致についてだが、あまりに多くの研究において、分析の焦点が誤ったところに向けられているということも指摘している。問題は、どうして自分は退屈するようになったか、自分が退屈しているというのは何を意味するか、ではない。本当に問いかけるべきは、退屈の主体として想像されているこの「自分」とは誰か、その存在がいかにしてそのように想定されるようになったか、である。

どうして「ネオリベラル」なのか？　まず次のことは認めよう。ネオリベラリズムとは、ある種の最新版の資本主義を言い表わす正当な言葉である、と。リベラリズムとは、単純に言えば、共有する最低限の条件下で、異なる道徳や宗教的信念が共存することを許容する政治的形態を意味する。我々には多くの意見の相違があるが、その上位に――漠然としたものであっても――一つの同意がある。それは、すべての人の利益を最大限に促進するために、こうした相違を受け入れるということだ。ネオリベラリズムは、こうした国家組織に関する伝統的リベラルの考え方と、中央集権化した政府、しばしば社会主義的な計画経済の政府を支持する主張とに、対抗するものとして現われている。あるいは、その中間に位置する第三の道として。実際には、イデオロギーとしてのネオリベラリズムは自由市場、資本の蓄積、そして規制緩和を支持する方向に強く傾く。二〇〇八年の金融危機は多くの人たちに、この形の経済的・政治的組織の限界を明らかにしたが、ネオリベラルの方向への全般的なトレンドはそれ以降も衰えていない。実際のところ、気の滅入る話だが、我々は新しくてより創造的な形での規制の虜《とりこ》（訳注：被規制産業が規制当局をコントロールしてしまうこと）を目にしてきている。少なくともアメリカでは、合衆国憲法修正第一条（訳注：信教、言論、集会、請願の自由を妨げることを禁止した条項）に基づいて、財力に言論の自由の保護を与え、ゆえに政治的な影響力を与えるという、最高裁の記念碑的な判断があった[*14]。

では、退屈がそれとどう関係するのか？　私の主張はこうだ。いま日常の文化生活で幅を利かせている、特有な形の退屈は、テクノロジーと経済の現実とに結びついており、実際のところ、新しい種類の政治的な危機である。それに加え、この危機は背景となる二〇世紀の資本主義という条件と密接に結びつき、それが原因で生じたものでもある。退屈はいまや、経済の領域で生まれた不安や動揺が自然に拡張したものだ。それはアップグレードの指示、速度と満足に関する熱狂的な要求、そして幸福を台無しにする妬みによって、あらゆる場所で悪化している。おそらくこの妬みが最悪で、どこか別な場所にあり、別の人によって享受されているように思われる存在の形、あるいは「現在」の地平を超え、決して訪れることのない未来にあるように思われる存在の形を求め、絶えず妬み続けるのだ。

これは、この一世紀半のあいだ、資本主義がどのように発展したかという大まかな感覚と一致している。古典的な資本主義（一八六〇年から一九三〇年）では、商品とサービスの生産、富の蓄積とひけらかしが重要点だった。特権階級は余暇の過ごし方という形で、派手な消費を見せびらかした。このような富に支えられて欲望が洗練され、趣味を示すことで「自己」の統合を成し遂げる機会となった。アメリカの経済学者、ソースタイン・ヴェブレンの有閑階級の分析と、イーディス・ウォートンの小説は、ここでのキーとなる[*15]。この形の資本主義のおもな問題は、ヴェブレンが例に挙げるステータスを示す品物——高級ワイン、秘儀的な技術、美術品収集など——が地位と結びついているため、均等に分配できないということだ。実際、これらの品はいまではしばしばヴェブレン財（訳注：有閑階級が「目立つため」「見せびらかすため」に購入する高額な商品）というレッテルを貼られ、その贅沢品としての地位は、価格曲線の上昇とともに——標準的な経済上の見込みとは対照的に——需要曲線も上昇することで示されている。激しい欲望の対象でありながら、原理的には均等に配分できない品物があるという状況は、階級間に緊張を生み出し、最終的には社会変革にもつながる。累進課税とか、アメリカのニューディール政策（一九三三〜三六年）のような、広範囲に及ぶ社会変革だ。ここには国家による公共事業だけでなく、より厳格な規制や再配分の方策が含まれる。

その次の、はっきりと区別できる段階は後期資本主義（一九三〇〜八〇年）で、それは民主化された「贅沢品」という形で消費を作り出すことに力点が置かれる。不満と妬みへの対抗手段は、金を使って借金を背負うことだ。欲望は熱心な広告や大衆文化によって生み出され、単に少数の人々のための趣味のよさとして育まれるものではなくなる。そのため資本は単純に蓄えられるというより、再生産される——金の意味は「使うこと」にある。ここにおいて「自己」はいくつにも分裂するが、こうした目立つ金の使い方を通しての幸福という御旗《みはた》の下、失われた統一を取り戻そうとする。哲学や小説でこの段階の指針となるものとしては、アドルノとホルクハイマーの「文化産業」の分析や、F・スコット・フィッツジェラルドの悲劇的かつ風刺的な小説が挙げられるだろう。[*16] 中心的な問題は、いわゆる民主的なプロセスが社会変革において最高点に達すると、次第に文化産業自体と区別がつかなくなるということである。政治はエンターテインメントの一つの形となり、政治闘争は運動資金をめぐる競争となる。

我々はいま、第三のはっきりと区別できる段階にいる。よりよい形容詞がないので、「ポストモダン」（一九八〇年から現在）と呼ぼう。ここでは不満を洗練化することが広範囲に及び、欲望があらゆる方向に蔓延する。資本はセクシーなものとなり、「意味するもの《シニフィアン》」のシステムはそれ自体が現実になることなく欲望のさまざまな投資を維持している。見せびらかしの余暇や消費は、どちらも見せびらかしの知識、（特にテクノロジーに関して）最新の情報を摑むといったカッコよさへの浸透する欲求に取って代わられた。自己は、これまで見てきたように、単に分裂するだけでなく、自らを食らい尽くし、幽霊のようになる。統合は、近代資本主義の影響下ではまだ可能だとされてきたが、もはや不可能だ。ここでも、ほかの本を参照することが助けになる。ジジェクの文化介入の議論や、デヴィッド・フォスター・ウォレスの小説[*17]などだ。我々はもはや商品やサービスをまともに生産していない。消費をまともに生み出すこともしていない。消費者という――あるいは「ユーザー」、「フォロワー」、「フレンド」などという――名のもとで、自分自身を生産し消費している。そして、これらがカッコつきで呼ばれていることとこそ、「言葉の外皮」の特に有害な形での例を示しているように思われる。

なんと気の滅入る話だろう。欲望の機構が容赦なく広がっていて、それが興奮や充実感を与えるどころか、はるかに頻繁に退屈を導き出しているというのは。その理由は単純だ。この形の資本主義の中心的特徴は、（一）それがユニークで、決して逃れることができず、ほかでは代替できないものとして提示されるとともに、（二）オンラインで提供される驚異的なものに対して特権があるという感覚をめぐる果てしないゼロサムゲームを作り出している。ときには、残酷な皮肉だが、こうしたゼロサムゲームの相手がいまの自分であり、将来の想像上の自分と対決しているのだ。[*18] そういうものだという感覚、無益な自己陶酔がかすかに現われただけなのだという感覚が生まれつつあって、それがネオリベラル的退屈の根源となっている。いかに、そしてどのようにそうなのかを見るために、私はこれから「インターフェース」と呼ぶものの実例をいくつか見ていきたい。その際、こうしたテクノロジーに関わる例が、現在の状況下であり得る退屈や、インターフェースとの遭遇などについて、すべてを網羅するわけではないことを留意しなければならない。

インターフェース

ソーシャルメディアでのありふれた行為に関する次の二つのパロディを考えてもらいたい。

特に、ティンダー、マッチ、OKキューピッドといったアプリを使ってデートの相手を見つけようと思っている、若い独身の男女に関わるものだ。FXネットワークのコメディ、『マン・シーキング・ウーマン』の広告では、ジョシュ・グリーンバーグという主人公が日常生活を送っている様子が映し出される――ソファに座って食べる、オフィスのブースで仕事をする、トイレを使う、フードトラックの列に並ぶ。彼は突然、どこかおかしいと感じ、次の瞬間、体ごと壁に向かって飛んでいく――そのまま隣のアパートに飛び込んだり、トラックに叩《たた》きつけられたりする。シーンはそこから二人の女性のショットに切り替わる。二人は笑いながらスマートフォンを見ており、スクリーン上の彼のプロフィール写真を嬉《うれ》しそうに弾き飛ばす。フードトラックのシーンに戻ると、憐《あわ》れな男の友人が悲しげに首を振りながら言う。「いいやつに限ってこういう目にあうんだ」。

第二の例はもっと暗い風刺だ――いまでもときどき辛辣なことをする『サタデーナイト・ライヴ』のコントに相応《ふさわ》しい。このショーの完璧なパロディ広告で、一団の女性たちがセトルという名のデートアプリを使っている。そして彼女らはこれまでにデートした「たくさんのそこそこの相手たち」について話し合い、「セトルの男たちにはどこも悪いところはない」と気づく。「みんな普通の男たちで、彼らの特徴は、いまなら大目に見てもいいってものばかり」。男たちの写真はパスポート用のものか、ピサの斜塔の横に立っているものに限られていて、その理由は「これなら、彼らの容姿に注意が向かないから」。おそらく最も効果的なのは、このパロディが次のような言葉で終わることだろう。ティンダーと違って、セトルには左スワイプの機能がない――「なぜなら、いいですか、これは諦めるのではなく、まとめる《セトル》のです」。

この二つのパロディをつなぐものは、もちろんスワイプによる拒絶という考え自体である。片方の例ではあまりに簡単なことと見られる――普通は知られないはずの拒絶がか弱い人間に投影されている――のだが、もう一つの例では禁じ手になっている。「左スワイプ」によって選択肢が開かれているように見えるため、たくさんの悲惨な組み合わせ、ハンサムなのに嫌なやつとか、虐待につながる交際とか、ありふれた無作法や失望が覆い隠されているのだ。そしてよくあるように、ここで笑いを生むのは「気づき」をもたらすためである――我々はみな、たとえ自分ではデートの相手を探していなくても、偏在するスマートフォンの仲介による昨今の相手探しの儀式で守るべき規則を知っている。結局のところ、二つのパロディに見られる些細な社会時評を重要視しすぎてはいけない。これは、人類の誕生と同じくらい古い性的な問題に関するものなのだから。しかし、私には、「左スワイプ」の機能と重要性は充分に理解されていないように思われる。

デートのパターンを扱ったより最近の記事は、オンラインでの相手探し、特にアプリを使ったものに対する反動が起きていることを示唆している。[*19] しかし重要なことに、スワイプは、私がこれからインターフェースの概念を説明していく際にも、一つの例となる。これはもちろん、さまざまな意味を持つ用語だ。現在のコンピュータや電話のテクノロジーから連想されるグラフィック・ユーザー・インターフェース（GUI）をはるかに超えて広がる意味を含んでいる。私はこれをとても狭くて正確な意味で使いたい。「インターフェース」の定義の短いバージョンは、プラットフォーム、コンテンツ、ユーザーのあいだで参加と交流ができる流動性のある空間のこと。インターフェースはさまざまな種類の入り口として機能するために、あまり理解されていない。物理的な入り口と同様、その重要性が見落とされたり、当たり前のことと見なされているためだ。それによって私は何を言おうとしているのか？

　ここでヴァルター・ベンヤミンの有名なカフカ論を思い出してもらいたい。彼はその冒頭、物理学者のアーサー・エディントンの著作を使い、カフカの小説世界の感覚を描き出そうとする。「私は部屋に入ろうとして、入り口に立っている」とエディントンは彼のベストセラーとなった一九三五年の本、『物理学の世界像』で書いている。「これは複雑な営みだ[*20]」。なぜか？注意力の鋭い物理学者にとって、この日常の行動――普通の人がどんな日でも数十回、何も考えずに繰り返していること――が複雑なのは、ろくに意識もせずに成し遂げていることが、信じられないような物理的確率に関わっているからである。宇宙のエントロピー的性質の大部分は、まさに人が失敗せずに一つの部屋から別の部屋に移れるよう、組織化されなければならない。だいたいにおいて何もない空間で構成されている分子は、安定した床や壁のアフォーダンスが使えるようになるために、よく整備された状態でなければならない。我々は二本の足で立つという独特の姿勢で、重力と限られた空間を正確に操らなければならない。

何よりも、我々は自分たちの動きの「精神性」という難問に直面する。目標と刺激の追求だ（エディントンは宇宙の何にでも精神が宿るという考えを揺るぎなく信じているので、我々が理由もなく動き回るとは信じない）。実際、この入り口から入るという行為が最も素晴らしいことかもしれない。というのも、心理学の研究が確実に示しているのは、人が入り口から入るとき、明らかに認知的な欠陥を経験するからだ。我々は自分たちが何を取ってくるつもりだったか忘れる。あるいは、素晴らしい考えをメモしようと思ってここに来たのに、その考えを見失ってしまう。

カフカの入り口は、エディントンの物理的神秘への実存的な暗い帰結であるとベンヤミンは示唆している。我々は閉まっているドアを開けよう、狭い階段をのぼろう、一つのオフィスから別のところへと移動しよう、と永遠に努力し続ける。物理的生活のありふれた欲求不満が、カフカにとっては、我々の社会的・心理的不安――ドア口やオフィス、裁判所、城などの世界で平和や帰属感を見出せないということ――を閉所恐怖症的に表わすものとなる。カフカの主人公たちが隣の入り口で、さらに隣の入り口で、永遠に解答や審判を求め続ける不安は、喜劇的であると同時に恐ろしい。それは、解答も審判も決して手に入らないからだ。開いているドアは我々が望む場所につながらず、閉ざされたドアはつむじ曲がりの門番とか、謎めいたことを言う詐欺師とかに守られている。これが人間の実態なのだ。

デート用アプリからかなり隔たってしまったように思えるかもしれないが、そうではない――そのことは、二つのパロディに見られる滑稽なビジョンの闇に示されている。ここで我々は入り口の機能を見る。その典型は、意識的に努力しなくても入り口が現われ、通り抜けられるが、ブロックされると暴力的になり、あるいは――もっと悪いが――激しい絶望のメッセージを送るといったことだ。あなたはスワイプできるが、隠れることはできない。スワイプの機能が奉仕すると同時に無化するのはあなたであり、あなたの欲望なのだから。ここでユーザーは、自分がプラットフォーム（情報を集めて提示する能力を持つサイト）上に提示されたコンテンツ（デート相手のプロフィール）と関与していると信じている。ユーザーはまた、この関与の最も重要な特徴は判断と選択の行使であると信じている――デート相手の候補を拒絶するか、（ときには）追い求めるか。しかし、実際のところ、これ全体の最も重要な特徴はユーザーでもコンテンツでもプラットフォームでもなく、指で弾くスワイプの繰り返しである。その本質は、ユーザーがこの不断の「選択」のメカニズムをかろうじて通り抜けていくこと。そのメカニズムと、ユーザーのそれとの関与が、私が「インターフェース」という言葉で意味するものなのだ。

重要なことには、ユーザーの没入しているメディアとこの関与が対立することがあり、それによって我々が違いに気づく場合がある——メディアのメッセージはインターフェースのメッセージと同一ではないということだ。

最近の例を示そう。二〇一七年の終わり頃、あるタイプのポッドキャストリスナーのトレンドが確認された。彼らは雑誌記事やブログの投稿を高速度で走り読みするのと同じように、音を伴うファイルやストリームを配信された速度の一・五倍、二倍、場合によっては二・五倍で再生するのだ。「ポッドファスター」と呼ばれるこの種の人たちは、「聞いている割合」をあげることによって、自分たちが聞きたい大量のことに反応していた。[*21] 重要な点は、彼らが面白くない箇所を早飛ばしし、もっと面白いところを見つけようとしていたのではないということだ。適切な機能を使ってコマーシャルやつまらない会話のシーンを飛ばし、もっと興味を惹《ひ》くところに行こうというのではない。それよりも、聞くという経験を変え、以前より時間をかけずにたくさん聞けるようになった——ポッドキャストのクリエーターたちは、ドラマチックな効果や知的な効果を狙って、そのペースや音楽を意識的に選んでいるにもかかわらず。クリエーターたちには可哀想《かわいそう》なことに、インターフェースをコントロールしている——あるいは、少なくとも、コントロールしていると思っているのはユーザーなのである。メディアからの情報を受けるツールが、電話のスクリーンやタブレットなど、文字どおりユーザーの手中にあるのだから。実を言えば、これから見ていくように――そして、すでにそういう疑惑を抱いていたかもしれないが――経験をコントロールしているというこの感覚は幻想だ。では、クリエーターも、メディアも、ユーザーもコントロールしていないとすれば、誰が、あるいは何が、コントロールしているのか?

一つ提言しよう。このスワイプ速度メカニズムとでも呼べるものは、それ自体の生命を持つようになる。ということは、ユーザーはじきにプロフィールを判断したり選択したりする場面としてそれを経験するのではなく、スワイプする、あるいは急ぎの情報を摂取する場面として経験し始める。だから二人の(またはそれ以上の)人々は、彼らの成り行き任せのゲームが他人に引き起こすかもしれない苦痛に気づきもせず、一緒にアクティビティを楽しめるのだ。もちろん、本当の苦痛はない。プロフィールは、本当の意味では、実際の人間とは違うのだから。それはスワイプのメカニズムのためだけに存在していると言ってもいい。自明なことを言うなら、スワイプはこうしたサイトが明言する目標ではないし、ほとんどの人々がこうしたことに関与する理由でもない。私の提言は、インターフェースは主体性なるもの――判断と選択の場と考えられているもの――に影響を与えるということだ。ユーザーの主体性は、おそらくユーザー本人には気づかれない形で、特に即時的ではなくても、変容させられるのである。

依存症と類似する点もあるが、それは部分的にすぎない。中毒者は第一の欲望の満足から短期的な喜びを得る。多くのケースにおいて第一の欲望は、ドラッグや刺激の誘惑に再び屈することを避けようとする第二の欲望と対立する。しかし、進んで中毒になろうとするケースもあり、より重要なことには、中毒の経験には一時性という強い要素がある。この一時的な次元は、通常の短期・長期という幼稚な中毒の分析の枠組みよりもはるかに複雑である。あるドラッグへの欲望は増したり減ったりし、無数の微妙なニュアンスで正当化されたり憤慨されたりするかもしれない。その結果、ドラッグを断固として使うという決断に至ったり、その人が中毒者であるという確固とした判断（それが正確にどういう意味であれ）に至ったりするのだ。

たとえばニール・レヴィは、中毒が自律性というしっかりとした概念と相容れないわけではないと、説得力豊かに主張している。「では、なぜ中毒者はドラッグを消費するのか？　簡単な、そしていくぶん誤解を招く答えは、彼らがドラッグをやりたいからやる、ということだ」と彼は述べる。「中毒者は――アリストテレスが非自発性の説明で使う例だが――人が風によって道の向こうに運ばれていくような形で、欲望に押し流されるのではない。要点は、行為者の内面の力による強制といったものがないということではない。強制的な心理的力があろうがなかろうが、中毒者の欲望はそれとは違う。これが要点である」[*22]。

レヴィは、中毒がしばしば望まれないもので、有害であるといったことを否定するのではない。また、完璧な自律性を持って活動することの妨げになることも否定していない。むしろ、我々は中毒を「中毒者が好みに関して揺らぐという特徴があるものとして」理解すべきだと主張している。「ほとんどの時間、中毒者は自己の中毒を否定し、それから脱却したいと望んでいる。しかし、定期的に気持ちを変え、そういうときは、節制するよりも摂取することを純粋に求める」[*23]。中毒のこの時間と関わる面が、あまりに頻繁に無視されているのだ――まるで不健康な欲望が健康な欲望を常に危うくしているかのように。それよりも、中毒者は時の経過とともに健康な欲望の減退を経験し、包括的な意味での自己――レヴィが言う「拡張した自己の意思」――を損なう。この主張は、中毒者が持続的に意思を働かせられない――それは中毒の妥当な説明ではあるが――ということよりも、包括的に健康な自己の構築がそもそも稀だということを強調しているのである。

この自律性と両立するという意味においても、インターフェースは必ずしも中毒を引き起こすわけではない。というのもインターフェースは、欲望の満足の先送りとして実のところ機能するからだ――人をインターフェースに向かわせた最初の欲望に、そのメカニズムが取って代わることと一緒になって。このことは、インターフェースのほかの例と比べると明らかになる。たとえば、ミュージックストレージのサイトやソフトウェアのウェブサイトで使える検索ライブラリ機能などがいい例だろう。デート相手探しアプリで連想されるような、選ぶことができないという不安をここでも見ることができる。何か聴きたいとスクロールを繰り返しても、どれかに決めることができない。そうしているうちに、スクロールすること自体が目的となり、楽しみを与えてくれるようになる。ネットニュースやブログ、（悪名高き）フェイスブック、あるいはネットフリックスの「あとn秒で次のエピソードが始まります」という番組などでも、スクロールを続けるのと似た例が見られる。このような経験に終わりが来ることはない——いつでも新しいフィードが加えられている——餌《フィード》を与えるとは意味深な言葉ではないか！　ゆえに、中毒者はほんの一瞬だけであっても、満足の感覚を得ることができない——自己の欲望とそれほど厄介な関係に陥っていない人の場合は、なおさらのこと。

　インターフェースに囚われた人は、この点において中毒者より——少なくとも、不本意ながら依存している人たちより——悲惨である。進んで依存している人たちとはとても近い関係にあるが、進んで依存している人は、ドラッグなり刺激なりの悪影響を除けば、しばしば「健康な」人のように見えるということは留意しなければならない。多くのドラッグに関しては、外面の落ち着きを維持するというのが、望まれる効果の一部である。しかし当然ながら、ドラッグ自体の快楽についてもそれは言える。ダン・キャヴァナの一九八七年の小説、『ゴーイング・トゥ・ザ・ドッグズ』では、元警察官の登場人物が中毒者たちの不安な現実について次のように考える。「彼らは楽しいからそれをするのだ……その楽しみについて、そこまでしてそれを得る価値はないように君には思われる。そんな価値などあり得ないと君にはわかる。しかし、彼らには価値があるのだ。呼びたければ、中毒と呼んでいいが、もう一つの真実から目を背けてはいけない。彼らは楽しいからそれをしているということ[*24]。あるいは、アーヴィン・ウェルシュの『トレインスポッティング』におけるヘロイン中毒の語り手が言うように、「みんなはこれが惨めな思いや絶望や死や、そういったクソみたいなことに関係があると思っている。それも無視できないんだけど、彼らが忘れているのはその快楽なんだ。楽しくなかったら、我々はやらない。結局、我々はバカじゃない。少なくとも、そこまでバカじゃないんだ[*25]」。

インターフェースの日常体験で最も目立つ点は、電話を見てクスクス笑っていても、一瞬たりとも、あるいは未来の幸福を犠牲にしてさえも、それが満足できるものではないという事実である。スクロールやスワイプをずっとやり続けることは、欲望が満足される可能性自体を否定しているように思われる。むしろ、ここに見えるのはギアの外れた欲望だ。何かを先送りしているときに経験するような、行き詰まりとか停滞の感覚ではない。ニュートラルに入ったままのエンジンが最大限に回転しても、まったく引っ張る力を生み出せないのと同じなのである。

一八世紀の詩人、エドワード・ヤングは、先送りを「時間の泥棒」と呼び、この表現はそれ以来諺《ことわざ》となった。物事を先送りするとき、我々は生産的な行動をする適切な瞬間を逃してしまう。人間として許された時間という織物を食い尽くしてしまうのだ。対照的に、退屈しているとき、「時間は手に重くのしかかる」（別の諺にあるように）。私は時計を見て、不確かな思いにもがき、何かが起きるのを待つ。そのような状態になると、もっと最近の詩人、ハル・デイヴィッドの言葉を引くなら、自分をどうしたらいいかわからなくなる。ある状況では、時間の流れは速すぎるように感じられ、別の状況では遅すぎるように感じられる。しかし、実のところ、先送りと退屈とは構造的にとても近い。どちらの場合も、欲望はある一つの対象または行動に固着しているようには思えない。どちらの形も、我々が時間の経過をどう認知するかに影響を与える心理的な葛藤だ。ヤングの生き生きとした表現が、彼の一八世紀半ばに出版された詩集『夜の思考』に収録されているのは、意味のないことではない。この詩集の正式なタイトルは、『不平、あるいは、人生、死、不滅に関する夜の思考』。同じ詩集のなかで、ヤングは「望むことは、あらゆる営みのなかでは最悪だ」と言う——恐ろしい評価だが、あなたの望むものが欲望だとすると、確かにいっそう真実となる。

内面の葛藤の本質について思索するよりも、さらなる刺激を求めることで退屈に囚われるのを逃れるようになると、インターフェースのテクノロジーのスワイプとスクロールは繰り返し同じ行動を取る機会となり、対象なき欲望の低レベルな喜びに包まれたユーザーに、ほとんど催眠術的な効果を与える。この経験がユーザーにどのような害をもたらすか、そのときにはもはやはっきりしない。ただ、ユーザー本人ですら、何かほかのことにかけたほうがいいとわかっている時間を、ひたすらつぎ込んでいるというだけだ。もちろん、こうした行動の比較的楽しい側面が、しばしばより深い問題を隠してしまう。当初の欲望（デートしたい、音楽を聴きたい、オンライン上の投稿やニュースを読みたいなど）が消え去っているという皮肉だけを言いたいのではない。インターフェースの経験の底にある不安が、世界と意味に関わる問題を隠してしまうというのもまた、言えることなのだ——退屈とその幸福との関係について研究している者なら誰でも知っているような問題を。退屈は、欲望のもつれから生まれ出るものだ。人間の知る状態のなかで、これ以上にありふれていて、これ以上に気が滅入るものはない。我々が願い、求めているところから、我々の苦しむ魂がほとばしり出るのである。

現在のインターフェースの構造は、かつてコンテンツが果たした役割に取って代わっている。我々が消費しようとして第一に向かうのは、対象となるモノではなく——その遅延または欠如がかつては退屈を促進したのだが——提供のメカニズムだ。退屈はフィリップスが述べるように「欲望を逆説的に求める」状態にあるというより、もはや特定の欲望を求めないという、永遠に更新可能な状態にある。コンテンツはプラットフォームに取って代わられ、批評家のニコラス・カーによれば、我々がプラットフォームに没入することが消費の新形態となっている。「モノに溢れている世界では」とカーは言う。「魅力的なインターフェースが完璧な消費財である。それは消費という行為そのものを生産品としてセットにし、売るのだ。我々は自分たちの消費を消費している」。まさにそのとおりだ。しかし、そう言っただけでは、先に進まない。

完璧な消費財とはインターフェースだけではなく、あるいは我々の消費の消費だけでさえなく、むしろ没入することで自我を貪り食う行為。これは完璧な消費者として自己を完璧に消費することなのである。

後者の主張のより広い意味がいま現われ始めている——特に自己と主体性に関わる意味が。我々の時代には、人間の主体——より正確に言えば、ジル・ドゥルーズが「ディヴィジュアル」と呼ぶもの、つまりいくつにも分裂した自己の主体の位置——とテクノロジー、特にメディアとの一体化があまりに主要な事実なので、水を知らない魚の寓話にあるように、我々は自分の存在の諸条件に気づかないという危険に陥っている。多数のプラットフォームで築かれるインターフェースとの関係は、あり得る自己の諸条件と自己が結ぶ関係の総計となる。しかし、こうした条件はそれゆえに見えないものにされている。ここでの退屈は、消去されるべき不快な状態というより、穏やかな不快さによってより深い不快感を知らせる兆候と考えると、よりよく理解できる。我々はインターフェースから離れて暮らすのが難しい状態になった。しかし、インターフェースが約束するもの——プラットフォームが提供することになっているコンテンツ——は狡猾《こうかつ》な誘惑だ。インターフェースはコンテンツよりも巨大な姿を呈するようになっているが、同時に、コンテンツを探している（と自分では信じている）我々自身よりも巨大になっているのである。

インターフェースが支配するネオリベラル的退屈の特徴を分析することによって、新しい意味での深刻な問題が明らかになったいま、我々はさらに深い洞察を得られるかもしれない。インターフェースに長くとどまりがちな「自己」のさまざまな特質——安定を崩され、幽霊のようになっている特質に関しての洞察だ。ネオリベラル的退屈は、コンテンツの代わりにインターフェースが消費されている状態に特有の退屈を意味するだけではない。その消費に関連する主体の場所の感覚をはっきりと経験することも意味している——熱狂的な自己消費につながる形で閉じ込められ、潜在的に依存しているという感覚。

スワイプは問題を解決しないだろう。なぜなら、問題は消費の政治学とテクノロジーが共謀して隠蔽しているものだからだ。この隠蔽が、隠蔽をもたらす政治的状況とともに、本書の批評的分析の主題である。我々は次に、退屈の状態をいまの我々にとって緊急課題とした文脈《コンテクスト》に目を向けたい。

注

＊1　本書で触れる一般書に加えて、次のような著作に言及しておいてもいいだろう。Elizabeth Goodstein, *Experience without Qualities: Boredom and Modernity* (Stanford, CA: Stanford University Press, 2005); Barbara Dalle Pezze and Carlo Salzani, eds, *Essays on Boredom and Modernity* (New York: Rodolphi, 2008); Michael E. Gardiner and Julian Jason Haladyn, eds, *The Boredom Studies Reader: Frameworks and Perspectives* (London: Routledge, 2016). ここで、一八世紀から現代に至るイギリス文学の退屈について詳細に研究したパトリシア・マイヤー・スパックスの本を取り上げたい。特にスパックスは、初期のイギリス小説に見られる家庭のシーンでいかに女性たちが男性とはまったく違う形で退屈を経験し、それに対してどのような反応があり得るかを明らかにしている。とりわけ、無気力や倦怠《けんたい》に対する道徳的に絶対必要な反応が必ずしも女性たちには開かれていないのだということを。Patricia Meyer Spacks, *Boredom: The Literary History of a State of Mind* (Chicago: University of Chicago Press, 1996).

＊2　Chris Cillizza, "How the Senate's Tech Illiteracy Saved Mark Zuckerberg," CNN.com (11 April 2018), https://www.cnn.com/2018/04/10/politics/mark-zuckerberg-senate-hearing-tech-illiteracy-analysis/index.html（訳注：この事件は第3部でも言及される）

＊3　Adam Phillips, "On Being Bored," in *On Kissing, Tickling, and Being Bored: Psychoanalytic Essays on the Unexamined Life* (Cambridge, MA: Harvard University Press, 1993), 68.

＊4　T.S. Eliot, "Burnt Norton," in *Four Quartets* (London: Faber and Faber, 1944), 99-103. マリナ・バン・ズイレンの『気散じになるものばかり』(Marina Van Zuylen, *The Plenitude of Distraction* [New York: Sequence, 2017]) と比べてみよう。バン・ズイレンの本は無計画の思考や取りとめのないアイデアを称賛するもので、この本のヒーローたちはクリエイティブに気を散らされている――モンテーニュ、ニーチェ、プルースト、ベルグソン、その他である。私は肉体的にも精神的にもさまようことを信条とし、予期せぬ傍白や緩やかなつながりを熱心に勧めている者として、気まぐれに思考が移動していくことを讃えなければならない。その一方で、(たとえば) 授業を聞いていなければいけない時間に服を買いにいくとか、電話をチェックするとか、テトリスで遊ぶとかいうのは、生産的であるはずがない。真の気散じは一つの学問だ。それ以外は、臨床治療の対象ではない注意欠陥障害にすぎないのである。

＊5　Phillips, "On Being Bored."

＊6　Peter Toohey, *Boredom: A Lively History* (New Haven, CT: Yale University Press, 2012). (ピーター・トゥーヒー『退屈――息もつかせぬその歴史』篠儀直子訳〔青土社〕)

＊7　Jennifer Egan, "Pure Language," in *A Visit from the Goon Squad* (New York: Anchor, 2010). (ジェニファー・イーガン『ならずものがやってくる』「純粋言語」谷崎由依訳〔早川書房〕)。小説の近未来(二〇二一年)を扱う部分で、年老いつつある主人公の妻、レベッカが、この考えの出所となる。レベッカは「アカデミックな世界のスターだった」と語り手は言う。「彼女の新しい本は〝言葉の外皮〟という現象についてで、この言葉を、もはや引用符の外では意味を持たない単語を

表わすために作り出したのだ。英語は、こうした空虚な言葉だらけである――〝フレンド〟、〝リアル〟、〝ストーリー〟、〝チェンジ〟など。こうした言葉は、その意味を剝ぎ取られ、抜け殻になり果ててしまった。〝アイデンティティ〟、〝サーチ〟、〝クラウド〟などは、ウェブで使われる意味によって、明らかに生命を奪われてしまった。ほかの単語の場合、理由はもっと複雑だ。どうして〝アメリカン〟は皮肉な言葉になったのか？ どうして〝デモクラシー〟はこんなにふざけた、あざ笑うような形で使われるようになったのか？」（二一三〜二一四ページ）

＊8 たとえば、スラヴォイ・ジジェク『斜めから見る――大衆文化を通してラカン理論へ』（鈴木晶訳［青土社］）を参照されたし。

＊9 Mark Kingwell, *Unruly Voices* (Windsor: Biblioasis, 2012), 16.

＊10 Jia Tolentino, "The Gig Economy Celebrates Working Yourself to Death," *New Yorker*, 22 March 2017, https://www.newyorker.com/culture/jia-tolentino/the-gig-economy-celebrates-working-yourself-to-death. これまでギグエコノミーに関するほとんどのコメントがポジティブだった。一冊の本は、これを「企業家の夢」と称賛している。一方、ほかの本はよりよく、より儲かるギグをどう作り出すかについて情報を与えている。

＊11 David Graeber, *Bullshit Jobs: A Theory* (New York: Simon & Schuster, 2018)（デヴィッド・グレーバー『ブルシット・ジョブ――クソどうでもいい仕事の理論』酒井隆史・芳賀達彦・森田和樹訳［岩波書店］）。グレーバーは次の記事で最初にこの問題を取り上げ、この言葉を――もちろん、労働者たちのあいだでずっと前から使われているものだが――流行《はや》らせた。"On the

Phenomenon of Bullshit Jobs: *A Work Rant*," *Strike! Magazine*（August, 2013）, https://strikemag.org/bullshit-jobs/

＊12　Drew Hendricks, "12 Tips for Being Happy at a Boring Job," *Inc.*（26 January 2015）, https://www.inc.com/drew-hendricks/12-tips-you-can-be-happy-at-a-boring-job.html 指摘せずにいられなくなるのは、この快活な記事で、退屈な仕事をやめることは選択肢の一つとして奨励されていないという事実である。それはおそらく一三番目の秘訣《ひけつ》（tip）なのだろう。

＊13　Rosecrans Baldwin, "Throw Away Your Earbuds, Boredom Is Good," *Los Angeles Times*, 7 February 2016, http://www.latimes.com/opinion/op-ed/la-oe-0207-baldwin-boredom-benefits-20160207-story.html

＊14　二〇一〇年のシティズンズ・ユナイテッド裁判の判決を指す（訳注：本選挙の六〇日以内及び予備選挙の三〇日以内に選挙絡みのＴＶＣＭを放映することを禁止している法律は違憲であるという判断を下したアメリカ合衆国最高裁判所の判決。ゆえに財力のある側が有利となる）。私はこの判断の政治的な意味合いについて、*Unruly Voices* ですでにいくらか分析しており、この本のあとの部分でも触れている。

＊15　ソースタイン・ヴェブレン『有閑階級の理論』（Thorsten Veblen, *The Theory of the Leisure Class: An Economic Study in the Evolution of Institutions*［1899］）、イーディス・ウォートン『歓楽の家』（Edith Wharton, *The House of Mirth*［1905］）、『田舎の習慣』（*The Custom of the Country*［1913］）、『無垢の時代』（*The Age of Innocence*［1920］）。このように広く知られている

本については、版の情報などは省略する。

＊16　マックス・ホルクハイマーとテオドール・アドルノの共著『啓蒙の弁証法——哲学的断想』（徳永恂訳〔岩波書店〕）に収められている「文化産業——大衆欺瞞《ぎまん》としての啓蒙《けいもう》」、F・スコット・フィッツジェラルド『美しく呪われた人たち』（一九二二年）、『グレート・ギャツビー』（一九二五年）、とりわけ『夜はやさし』（一九三四年）。

＊17　たとえば、Slavoj Žižek, *For They Know Not What They Do: Enjoyment as a Political Factor* (London: Verso, 2008)（スラヴォイ・ジジェク『為すところを知らざればなり』鈴木一策訳〔みすず書房〕）、David Foster Wallace, *Infinite Jest* (Boston: Little, Brown/Back Bay Books, 1996).

＊18　第一の点については、マーク・フィッシャー『資本主義リアリズム』（セバスチャン・ブロイ、阿南瑠莉訳〔堀之内出版〕）を参照されたし。この本は、二〇〇八年の金融危機が広範に及ぶ危機の始まりであるどころか、資本主義の強固な利益とイデオロギーを促進しただけだと論じている。

＊19　たとえば、次の記事を参照されたし。"What Toronto Singles Love (and Hate) about Dating in the City," *Toronto Star*, 9 February 2016, http://www.thestar.com/life/relationships/2016/02/09/what-singles-love-and-hate-about-dating-in-toronto.html

　テクノロジーを基盤としたデートアプリの「商品化」や「空洞化」は、この記事でインタビューされた数人の人々も言及している。そこで引用された一人の独身者は「二〇一六年は電波の届かないところでデートする年になる」と予言する。しかし、ここにはわずかながらも世代間の違いが見受けられる。この記事で引用された独身者たちはおもに二五歳かそれ以上で、大都市に住み、だからそれ以外のデートの機会もある（彼らの多くが新しい人たちとバーで会ったり、友達のネットワークで知り合うほうを好むと言っている）。ナショナル・パブリック・ラジオのオンラインマガジンに二〇一六年初頭に載った記事は、アメリカの一八歳から二四歳までの人でデートアプリを使うのは、ピュー研究所の研究によれば、二〇一三年から三倍に増えたと言う。これについては、次の記事も参照していただきたい。"Do You Like Me? Swiping Leads to Spike in Online Dating for Young Adults," The Two-Way, 11 February 2016, http://www.npr.org/sections/thetwo-way/2016/02/11/466342716/do-you-like-me-swiping-leads-to-spike-in-online-dating-for-young-adults?utm_source=nextdraft&utm_medium=email.

トロント市民にとって特別な問題は、少なくとも一人の批評家によれば、彼らが「世界で最も魅力的に退屈な市で暮らしていること」。しかし、これはよいことであるとわかる。「トロントの歴史は正義に向けて傾斜していない。リラクゼーションに向かって傾斜している」とステファン・マルシュは二〇一六年七月四日の『ガーディアン』誌に書いている。「大騒ぎをするわけでもなく、一緒に静かに暮らしている人たちには、どこかラディカルなところがある」。トロントに関する重要な問いは、「この都市が、人々が複雑に混じり合った輝かしい未来、稀に見るコスモポリタンの化身へとのぼっていくのか、衰えていき、地域の毒気に誘い込まれて呑《の》み込まれてしまうのか、ということだ」https://www.theguardian.com/cities/2016/jul/04/new-toronto-most-fascinatingly-boring-city-guardian-canada-week

＊20　エディントンの『物理学の世界像』は一九二六年から二七年のギフォード講座での講義に基づ

いていて、一九三五年に出版された。そのなかで彼は、物議を醸している自己の「唯心論的」見解――「世界の素材は精神の素材である」を弁護している。ベンヤミンはエディントンを詳細にわたって引用し、この文章を読むと「ほとんどカフカが話しているのを聞くようなものだ」と述べている。"Some Reflections on Kafka," in *Illuminations*, ed. Hannah Arendt, trans. Harry Zohn (new York: Schocken), 141-42.（ゲルショム・ショーレム編『ベンヤミン―ショーレム往復書簡　1933―1940』山本尤訳［法政大学出版局］）

＊21　Doree Shafrir, "Meet the People Who Listen to Podcasts Crazy-Fast," BuzzFeed, 12 November 2017, https://www.buzzfeed.com/doree/meet-the-people-who-listen-to-podcasts-at-super-fast-speeds

＊22　Neil Levy, "Autonomy and Addiction," *Canadian Journal of Philosophy* 36, no.3 (September 2006): 432, 431.

＊23　同書、433.

＊24　Dan Kavanagh, *Going to the Dogs* (London: Viking, 1987), 76. この本はダフィと呼ばれるバイセクシャルの元警察官を主人公とする、コミカルな探偵小説の一冊である。Kavanagh は小説家、ジュリアン・バーンズのペンネーム。

＊25　Irvine Welsh, *Trainspotting* (London: Secker & Warburg, 1993)（アーヴィン・ウェルシュ『トレインスポッティング』池田真紀子訳［早川書房］）。本書の映画化で監督を務めたのはダニー・ボイル。

第2部　コンテクスト

―気分《ムード》の報告―

孤独で、落胆していて、倦怠感でいっぱい

これまで自分自身に退屈しすぎて、
文字どおり恐ろしくなったことはありませんか？
私にとってはいつもそうなんです。
いま、この瞬間、
ここに座っている私は、そういう状態にいるんです。

ジョナサン・ディー『千の許し』
（2013年）

孤独

我々のいまの窮状におけるインターフェースのあり方を理解するために、「ポスト・トゥルース」状態の影響を取り出して考えなければならない。というのも、それは我々の孤独感に働きかけるとともに、それを絶え間ない刺激によって克服しようという願望の静かながら必死な思いにも働きかけるからだ。ポスト・トゥルースの欠陥を単純にネオリベラル経済のせいにするのは間違いであろうが、示唆に富んだつながりはある。ネオリベラルの価値観においては、すべての資本が同じ地位を持っていて、人々のいかなる差異もすべてカバーし、あるいは乗り越える——そして、表面上は確固とした政治的信念の数々を従わせることさえする。建前上は「自由」な市場において、競争と規制緩和で繁栄するシステムは、公共の信用、公共の言説、そして公共財に、重なり合う病の連鎖を生み出す。これは単純に——皮肉たっぷりのジョークにあるように——我々が金で買える最高の政府を持っている（訳注：もともとはマーク・トゥェインの言葉で、汚職がまかり通る政府を皮肉ったもの）というだけではない。自由民主主義を正当化する通常のメカニズムは、金銭的な利害によって体系的に空洞化され、まがいものの議論によって置き換えられているのだ——「フェイクニュース」という非難、明白な嘘《うそ》、自明なものを錯乱状態で否定することなど。これを書いている時点での状況は特別に深刻な様相を呈しているが、それがいまではすべての地域の政治システムにおける病だと考えるべき理由は大いにある。

サミュエル・ジョンソン（訳注：一八世紀のイギリスの文人で、『アイドラー』はそのエッセイ集）は一七五八年、『アイドラー』に次のように書いた。「戦争の惨禍として数えられるもののなかには、真実を愛する気持ちの減退も含まれるかもしれない。利益のために真実を歪《ゆが》めようとする力が働き、人々がそれを簡単に信じてしまうことによって、この欺瞞が促進されるのである」。ジョンソンが犠牲者として挙げた最初の部分は、アメリカの上院議員、ハイラム・ジョンソンが一九一八年に行ったより有名なスピーチで簡潔にまとめられている――「真実は戦争の第一の犠牲者である」。二人のジョンソンが示唆しているのは、戦時が例外的な状況であり、リスクの高い大博打《おおばくち》によって、平時なら健全な社会的・政治的基準が低下してしまうということだ。しかし、もし戦争状態が常態化してしまったらどうなるだろう？　それは単に、アメリカ、イギリス、カナダ、そのほか西側同盟国が、一九九〇年の第一次湾岸戦争以降、本質的にずっと戦争を続けているという事実だけの話ではない。戦時中の措置、非常事態で例外的であるという状態、そして広範に及ぶ監視などが同じ時期に、特に二〇〇一年九月一一日のニューヨークとワシントンにおけるテロ事件以降、常態化されたことも事実である。さらに言えば、同じ時期、政治家たちの信頼性の基準が急降下したのを我々は目撃した。それは、自信はあっても根拠はない発言をファクトチェックする手段や速度が、絶え間ないニュースのサイクルとツイッターでの暴言に追いつかないことにも大きな原因がある。インターフェースは、すべてを説明責任ゼロのグレーゾーンに投げ込むことで、支配的基準としての真実が崩壊したことに関与している。虚偽が指摘される頃には、我々はそのサイクルをすでに三回はターンしている。そして、このサイクルは決して止まらない。

　このことは、私がインターフェースと関連づけてきた「退屈」の問題とどのようにつながるのだろう？　哲学者たちは概して真実が我々を救えると信じてきた――我々自身の誤った、あるいは倒錯した欲望による最もひどい崩壊からも、外部の原因からくる歪んだ影響からも救える、と。それは実際、哲学的な考察が一貫して約束するものであった。哲学は物事を明らかにし、それによって――我々にその気さえあれば――こうしたこと（誤った信念、曖昧な思考、不正なシステム、倫理にもとる行為など）を変革したり、捨て去ったりできる。しかし、真実という規範がなかったら、我々は「退屈」とその原因を哲学的に分析することで治癒的効果が得られるという幻想を抱き続けることができるのだろうか？　公共の規範としての真実が蝕《むしば》まれていくことと、ネオリベラル時代の「退屈」の経験とのあいだにははっきりとした線は引けないが、それでも両者のあいだにあるネットワーク的つながりはいまだ判別できる。延々と続く政治的な虚言の気を滅入らせるような光景は、市民を孤立させ、疲弊させる。我々が数えきれないほど見てきたように、市民同士が暴力的に対立することにもつながっている。何が信用できるかは、その人がフォックスニュースを見るか、MSNBCを見るか、CNNを見るかにかかっている。あるいは、誰のツイートをフォローするか、フェイスブックで誰と話をするかに。我々の時代の政治生活には恐ろしいほどの孤独と荒廃があり、真実の救命艇は波の下に消えてしまった。こうした孤独によって生まれた「退屈」は、私が主張してきたように、ほかのタイプの退屈とは明らかに違う。それは落ち着きがなく、落胆し、ときには怒っている。それに苦しむ者たちは刺激を受けすぎていて、刺激が足りないことはない。彼らは自分の感情をどうしたらよいのかわからないし、しばしばあるように、怒りが発散できないことで鬱状態に落ち込む。これは、明らかにハイデッガーとショーペンハウアーが対処しなくてよかった問題だ！

ちょっとした例を考えてみてほしい。キャンプ場での議論がエスカレートしやすいのは誰もが知っている――特にお酒が入ったときは。しかし、カナダのオンタリオ州にある小さな町、ブロックヴィル近郊で起きた二〇一六年の口論は、経験豊かなキャンパーたちでさえも少し――まあ――お馬鹿だと感じさせるものだった。地球は丸いのか平らなのかという議論が白熱し、怒った男がキャンプ場にある物品の数々を――プロパンガスのタンクも含めて――火に投げ込んだのだ。この男は消防士が来る前にキャンプ場を立ち去った。あとでわかったのは、地球が平らだと主張したアウトドア派の人は、プロパンガスを投げ込んだ人の息子のガールフレンドであった——ということで、つまり、家族間のせめぎ合いがあったのだ。それにしても、彼女のような人たちが集う奇抜なグループが存在しているとはいえ、我々はそれ以外の面では正気な人たちがこうしたことで議論するとは想定していない——ピタゴラスやガリレオ、ジョルダーノ・ブルーノなどの何世紀にもわたる研究にしっかりと根ざした科学的な知識を疑問視する人がいるとは。それとも、想定内なのか？　事実、真実、証拠などは、以前のような理性的な影響力を発揮しない。フェイクニュースのサイト、ジャンク・サイエンス、ファクトチェックを喜んでないがしろにする政治家、そしてユーザーをどんどん愚かにしていくように見えるグーグル検索が、真実を無用なものにしているのだ。我々は混乱と対立、偽りの旗、そしてインターネット・ミーム（訳注：インターネットを通じて人から人へと、通常は模倣として広がっていく行動・コンセプト・メディアのこと）の暗い海を舵《かじ》なしで航海しているのである。

もちろん、我々はすでにこういう経験をしてきている——ここまで広範囲に及ぶものでなくても。誤情報、レトリックによるごまかし、まがいものの信念体系、そしてあからさまな無知は、人間社会の営みにおける標準であって、例外ではない。しかし、ほとんどの時代において、これらはいけないことであり、積極的に闘わなければならないものだという感覚があった。プラトンは臆見《ドクサ》、つまり思い込みによる意見が日常生活を支配している悲しい状況を認めている。それに対して真の知識であるエピステーメーを強く擁護することで対抗し、エピステーメーは哲学者だけが判別できるとしている。哲学者たちでさえ、もはやその種の哲学者は信じないし、我々が厚かましくもその代わりに提示してきた真実の観念——実利的で、経験主義的で、反証可能なもの——は、懐疑主義と相対主義とに流れ込むことを防ぎはしない。もし神によって定められているのでなければ、あるいは形而上《けいじじょう》学的に手堅いものでなければ、真実は趣味の悪いジョークか権力掌握術、知識の偽造による詐欺のように見える。おそらく新約聖書のポンテイウス・ピラトは正しかったのだろう。彼は真実という考えを「真実とは何か?」という修辞疑問文で嘲り、その答えを聞こうともしなかったのだ（訳注：ヨハネの福音書一八章三八節より）。

しかし、真実を見捨てた代償は深刻だ。この事件が起きた二〇一六年の白熱した夏、公共生活のいかなる問題を扱うにも、アメリカ大統領の共和党候補となりそうな人物に言及しないわけにはいかなくなった。しかし、ドナルド・J・トランプ大統領は、実際にポスト・ラショナルな（訳注：理に適《かな》っているかどうかを問題にしない）選挙運動の新しい段階を代表している。ジョージ・W・ブッシュのシニカルで政治的リアリストの補佐官たちは、自分たちが権力から現実を作り出したと主張した。この立場は、新しい共和党政権の手法と比べれば、まだ学術的な権威があった。いまの政権は行き当たりばったりで、何でも言えてしまう。銃撃者はニューヨーク生まれであろうとアフガニスタン人だ！　大統領は操り人形でイスラム過激派のスパイだ！　イスラム教徒とメキシコ人は——言うまでもない！　重要なのは、こうした危険なナンセンスに理性をもって対抗しても、トランプの選挙運動のあいだはほとんど影響力がなく、いまの政権下においてもそうだということだ。間違いを訂正することは、以前は恥や混乱を引き起こした。いまでは言葉による一か八かの賭けを促進するだけだ。多くの人々がこれを言っている！　実際、重要な事項は――気候変動も外交政策も――みな愚かな行程へと引きずられていくだけ。念のため言っておくと、そう、ヒラリー・クリントンも選挙運動のなかで大っぴらに嘘をついた――しかし、もっと一貫性があった。

二〇一六年のトランプ当選に続く数年は、彼が気まぐれに吐き出す半端な真実と真っ赤な嘘が、肥料をたっぷり与えた地下室のキノコのように、無差別に増殖していった。デイヴィッド・レムニック（訳注：『懸け橋《ブリッジ》――オバマとブラック・ポリティクス』などで知られるジャーナリスト）は、ロシア大統領ウラディミール・プーチンとの悪名高きヘルシンキ「サミット」（二〇一八年七月）のあと、次のような指摘をした。背信行為の要点は、表面上、選挙への介入に関してロシアが明らかに犯人であるのかないのか、トランプの発言が混乱しているということにある（訳注：トランプは最初肯定し、それを言い間違いであったと訂正した）のだが、トランプが非道な不正行為を働いてもずっと逃げおおせているように見えるのは、単純に気の滅入る光景だ。「あからさまな欺瞞や一貫性のない言動をするトランプの傾向は異常行動ではない」と彼は書いている。「これは彼が日常していることだ。この二年間、多くのアメリカ人が背負ってきた漠然とした無力感や陰鬱な気持ちは、まさにトランプが腹立たしい発言や行動を絶えず繰り返してきたことに由来する」[*1]。これはもちろん、新種の退屈である——自国が体系的に蝕まれていくのをなす術《すべ》もなく見守るしかない、消沈した有権者たちの無力感。蝕んでいるのは、「アメリカを最優先する」とか「アメリカを再び偉大な国にする」とかいった影絵芝居を続けている、明らかな背信者だ。当然ながら、このいんちきショーは、いわゆるトランプ作戦基地の過激な集会でうまく機能し、根性の据わらない共和党によって不自然に支えられている。共和党は、その実入りのいい在職期間を明け渡すのが怖くて、この明らかにおかしな男、錯乱した道化のような変人と、手を切れずにいるのだ。

　ここで言及するに値する歴史上の注釈を入れよう。トランプが二〇一六年の大統領選挙で勝ったとき、エリック・ハガーマンという男が完全なメディア断食をしようと決意した。ソーシャルメディアも、テレビも、ラジオも、インターネットも使わない。この行動は、オハイオ州にあるハガーマンの養豚場で実行されたのだが、とても珍しい意識的な決意だったので、『ニューヨーク・タイムズ』紙が詳しい記事を書くことになった[*2]。「すごく厳格で完璧なものでした」とハガーマンは自分の決意について語っている。「ただトランプから離れたいとか、話題を変えたいとか、そういうことじゃないんです。まるで自分が吸血鬼で、トランプの光の粒子をちょっとでも浴びたら、塵《ちり》になってしまうかのようでした」。ほとんど度肝を抜かれた『ニユーヨーク・タイムズ』紙の記者は次のように表現した。「彼は、現代アメリカ史における最も波瀾《はらん》万丈の局面の一つにおいて、衝撃的なほど情報を遮断することに成功したのだ。現代の市民が望んでも手が届かないほど無知になれたのである」。

「ただ天気を見ています」とハガーマンは言った。五三歳で一人暮らしである。「でも、それだけでも楽しいですよ」。それから、本書の議論に関してキーとなる主張をした。「退屈ですけど、苛立ったりはしません」。『ニューヨーク・タイムズ』紙の記者、サム・ドルニックは本当に重要なのはどこかを見抜いた。「退屈を見つけるには綿密な計画が必要である」と彼は書いている。「ハガーマン氏はメソッド演技法の役者のように厳格に取り組み、彼が自分に課したプログラムは――コーヒーショップではホワイトノイズのテープを聴き、友人からぎこちない叱責を受け、ソーシャルメディアを禁じるなど――彼の人生の大部分を再形成した」。もちろん、そうだ。しかし、これは経済的に恵まれた者だけができる贅沢な暮らし方ではないか？ハガーマンはナイキの元重役であり、だからほかの人たちには無理でも、メディアを閉め出すことができるのだ。彼の退屈はヴェブレン財であり、ほとんどの消費者には手が届かないのである。それはすでに提示した「創造的退屈」ともある程度関係があるが、ネオリベラルに特化した状況の要素もあり、それを彼は苦しみから快楽へと変換したのである。これはとても進歩した退屈に関する思考だ――簡単に言えば、自意識を亀のように甲羅のなかに引っ込め、外界をゼロにする。甲羅のなかに引きこもった人間に真実は問題にならない。同様に、嘘やナンセンスも――それが集積されていくことで合理性自体を蝕んでいくのだが――問題にならない。

悲しいかな、理性の権威を求める哲学の主張は、常に安定しているというより希望的なものだった。どんな主張をするにも真実に対する基本的な敬意がある――どんなに奇怪で、証明されていなくても――と我々は言いたい。毎晩評論家たちの討論を見たり、毒の利いた独断的意見をスクロールしたりしていれば、我々はそれを疑わざるを得ない。こうしたものがかぶっているのは理性を装った殻――弁論部的なテクニックと、このレトリックこそが言論であるという集団的妄想に守られた言論の鎧《よろい》である。我々はマルティン・ルターがしたように、二種類の理性を区別しなければならない（もっとも、ルターは優先順位を間違えていたが）。一つは聖職者の理性で、それはすでに存在している信念に奉仕するよう議論を形成して配備し、自分はこれ以外を信じないということをほかの者に納得させる。もう一つは行政官の理性で、対照的に自律的であり、真実を追求する開けた議論をする――真実が必ずしも見つからなくても。もし証拠と論理が私の以前から抱いている信念と相容れないのなら、理性はその信念を変えるようにと要求する。

その一方で、これらを追求している者にとって、グーグル、フェイスブック、アマゾンは日に日に賢くなっていく。その進化したアルゴリズムはあなたの検索の質問や友達リクエスト、あるいは買い物の好みなどの形でデータを追跡して集積し、新たな結果を生み出して、驚くべき——あるいは、おそらく恐るべき——正確さであなたの性格を読み取ることができる。ある時点で、アルゴリズムは私が自分を知る以上に私を知ることになる。その大きな理由は——ジル・ドゥルーズがディヴィジュアルに関する洞察で示したように——こうした質問やリクエスト、好み以上のものとして、我々が大事にしている個性的な内的自己というものがあるのかどうか、ますますはっきりしなくなっているからである。これくらい進化したアルゴリズムは新しい形の人工知能となり、我々がテクノロジーに没入していることを通して我々を利用する。このような企業体に対抗するために我々にできることは——それが特権的な人々の日常生活からまったく切り離せなくなっているだけに——包括的な拒絶だけである。あなたはアマゾンに提供する自分のデータを選択することはできない。あなたの買うすべての品目がデータ要素であり、あなたのこれまでのデータやこれからのデータと照らして——それから、ほかのすべての人たちのデータと照らして——さらなる分析に使われるのだから。

　そのような拒絶の道を選ぶこともできるが、アマゾンはあなたの生活で不可欠なものとなることに全力を傾けており、次々と売り物を提供しようとしてくる。数時間のうちに届けてくれることもあるし、あなたの留守中に（あなたの許可を得て）家のドアを開け、安全な場所に置いてくれることもある。それを拒絶するのは、AからZに向かって矢印が伸びているアマゾンのロゴ――それは意味深ないたずらっぽい微笑《ほほえ》みに見えてくる――に慣れてしまっていたら、かなりのものを失うように思えるだろう。こうした多様なサービスによって、アマゾン創業者のジェフ・ベゾスは、二〇一八年現在、一四三一億USドルもの個人資産を築き上げた。私がこの数字を知ったのは、もちろんグーグルの検索による。グーグルなしの調査は、私のような伝統主義者にとってさえ、ほとんど考えられなくなった。自分がこれを書いているのと同じスクリーンを使って、ブラウザのウィンドーを立ち上げ、スペリングや事実をチェックしたり、自分がはっきりと思い出せない参考文献を確認したりするのは、実に簡単なことだ。そしてここでも、私のデータを制限したり、フィルターにかけたりするといった選択肢はない（ブラウザの履歴を削除することはできるが、検索履歴は別のところですでに記録されている）。

外部への検索やリクエストが記録され、選択を決めさせるプログラムに注入されているあいだに、同じ企業のテクノロジーが我々の家庭内に持ち込まれている。不格好なスマートTVや、内部のモニターで食べ物の新鮮さをチェックする冷蔵庫などから始まったものが、どこにいても声をかけるだけで応えてくれる個人的アシスタントに変わってきた。あなたが望むものを何でも与えてくれるのだが、それに対する代償はあなたの言葉を記録することだ。アレクサという名で知られているアマゾンのエコーの技術や、グーグル・アシスタント、部分的に成功を収めたアップルのシリは、話しかけるだけで音楽のリクエストに応えたり、電話をかけたり、チャンネルを替えたり、映画のチケットを取ったり、天気予報を教えたり、ディナーを予約したりして、消費者の想像力を支配するようになっている。これを書いている時点では、まだ比較的珍しい贅沢品であり、プライバシーが失われることや、同一企業にすべて取り込まれるといった末梢《まつしょう》の対価は、幸せなユーザーにとっては些細なことに思われる。このシステムを褒めちぎる最近の広告は、山腹の温かい家でくつろぐ極端に豊かな家族を描いている――『アーキテクチュラル・ダイジェスト』のページから取ったようなモダニスト的な家で、下僕かつ監視者である見えない機械に気まぐれな希望をすべて叶《かな》えてもらい、彼らはご満悦だ。五〇代のごま塩頭のハンサムな父は嬉しくてクスクス笑う。幸福を表わす光景として、そのメッセージはこの上なく明白である。親密な家族の一糸乱れぬ統一、物質的豊かさ、欲求の充足、そして上機嫌、こうしたものはすべてあなたの会話を記録し、あなたの選択をたどるシステムによって成し遂げられる。明らかに、こうした家庭内の奇跡に恵まれていない者は敗者なのだ。

もちろん、誰もが知るように、テクノロジーは使われることで急速に驚異的ではなくなっていき、今日の奇跡は明日の忘れられた家具となる。あらゆる場を取り仕切るスクリーンは（不気味な比喩のどれを選んでもよいが）吸血鬼であり、ドラッグの売人であり、ゾンビのウイルスである。アメリカ人は毎日平均で三時間から四時間、スマートフォンを見て過ごし、あらゆる種類のスクリーンの前で一一時間も過ごしている。したがって次の革命は、スクリーンから離れて完全に没入することになるだろう。我々は二〇一八年にほぼ間違いなく「スクリーンの上限の段階」に達しているので、インターネットのテクノロジーが家庭も町もオフィスも覆い尽くす近未来に入っている。インターフェースはいまや我々の環境そのもの。文字どおり空気中に存在する。いや、もっとだ――空気そのもの。毎日吸い込み、すぐに満足を得られる空気なのである。この次の変革への強力な支持者の一人、ファルハド・マンジュー（訳注：一九七八年生まれのテクノロジーコラムニスト）は、脱スクリーンの個人アシスタントが「何か新しいものを提供する」と述べる。「それは大きなスクリーンに縛られていないモバイル・コンピュータだ。移動中に仕事を済ませられ、騙される危険はない。想像してみてほしい。アプリをひたすら叩き続ける代わりに、エアポッドにただこう言えばいいのだ――〝七時にディナーの予約をしておいて〟とか〝今週、夜に二人で外出できるかどうか、妻の予定をチェックしてくれ〟とか」[*3]。そう、想像してみてほしい！

完全に没入型のテクノロジー環境を支持するレトリックで目立つのは、賢人ぶった警告と、インターフェースの支配への新しい動きをわざと無害に見せようとすることとが結びついている点である。「スクリーンは飽くことを知らない」とマンジューは言う。「認識のレベルにおいて、スクリーンはあなたの関心を貪欲に求める怪物であり、それを見てしまった途端、あなたは基本的に終わりである」。実際、習慣的ユーザーの近くにスマートフォンがあるだけで、その人の認識能力が制限されることは、いくつかの研究が示している。多くのテクノロジー批評家たちが、スクリーンを見て過ごす時間に埋め込まれた中毒性の特徴について真剣に語るようになった――歴史上最大の利益をあげている会社のいくつかに捕獲され、経済的かつ個人的な代償を払うことについてはもちろんのこと。「スマートフォンは実に魅力的で、それが目につくところにあれば、見ないようにするには貴重な精神的エネルギーを費やさなければならなくなる」とマンジューはいまやお馴染みとなった警告を発する。

彼が提案する解決策は二通りだ。最初のオプションは、意志の力を使い、場合によってはアクセスを制限するために作られたメタ・テクノロジーの助けを借りて、スマートフォンに抵抗すること。たとえばスクリーン・タイムは、あなたがどれだけの時間をスマートフォンで過ごしているかを示す機能があり、選んだアプリへのアクセスを遮断することもできる。ほかにサイトを遮断するアプリとしては、フリーダム、セルフコントロール、アップデトックス、コールド・ターキー、ブロックサイト、ステイ・フォーカストなどがある。より最近の自己管理アプリにはモーメントがあり、これもスクリーンを見ている時間を測るし、フォレストというグラフィック・アプリは、デバイスを使っていないとスクリーン上に健康な木が育つようになっている――そして、デバイスを開いた途端に木は枯れる。

もちろん、精神が弱いものであることはみんな知っており、意志の力だけで中毒のサイクルを断つのは難しいだろう。二〇一八年の新聞記事で引用されている匿名の心理学教授は、これは本質的に悪徳に対する美徳の闘いだと述べている――我々は短期的な快楽を抑えることで、長期的な美徳を作り出したいのだ、と。スマートフォンのアプリ以前には、チェーンスモーキングを抑えるために、一度に一本ずつしか煙草《たばこ》を買わないといった自己管理の手段があった（いまでもある）。あるいは、目覚まし時計を寝室の隣の部屋に置き、歩いてアラームを止めにいくことなど。誘惑の源をしまい込んで鍵をかけるとか、自分を打擲《ちょうちゃく》するなどの暴力行為に及ぶといった、さらに過激な行動に出る場合もあるだろう。こうした手段のすべてにつきまとう問題は、中毒自体と同様に、時の経過に伴って耐性ができてしまうことだ――自己管理の手段が心地よいものと感じられるようになり、もはや効果がなくなるのである。

あなたはどうやってスマートフォン中毒と闘っていますかと訊《たず》ねられ、この教授は「私はいい例ではないかもしれません」と告白した。「本当に重要な論文を書かなければいけないとき、私はすべてのパスワードを変え、自分では覚えられないランダムな数字の並びにするんです」。彼女はここで間を置いた。「そして、それを引き出しの奥に隠します」。さらに長い間。「家の引き出しに隠すんです。そうすれば、仕事中にスマートフォンを見たくても見られません。単に自分を、あるいは自己管理を信じていないんですよ。だから、これに関しては現実的に対処することにしました」[4]。

　このような自己への信頼の欠如は、重症であれ軽症であれ、中毒症には非常によくあることだが、ジャロン・ラニアーのようなテクノロジーに通じていながら懐疑主義者である者の忠告をなし崩しにする。ラニアーはデジタルテクノロジーの開拓者だが、近年はソーシャルメディアを厳しく批判するようになった。彼の二〇一八年の本、『今すぐソーシャルメディアのアカウントを削除すべき10の理由』は、まさにタイトルのとおり――理由の列挙である[5]。つまり、それらは理性的な主張であり、ターゲットは理性的な行為者であって、彼らは現実離れした理由よりも利己心から動くかもしれないが、それでも説得に応じる可能性のある人々だ。論理に基づいた自己管理を勧告したとして、それが力を持つためには、行為者がメディア回避という考えをすでに受け入れる素地を持ち、その戦略を実行するだけの自己管理力を持っていなければならない。その一方で、オンラインでの「つながり」を求める強い思いが疎外と分裂、人気に関する誤った観念などを促進し続けている。そして民間企業のために大量にデータをかき集めることも促進し、その企業が「公共」であるはずのコミュニケーションの形を実際に制御しているのだ。

　ラニアーが言うように、ソーシャルメディアを使うことはすべて、一見有益なように見えて、人間の「威厳、幸福、自由」に最終的な損失をもたらす。それに気づくだけで充分ならまだいい（ネタバレ注意、充分ではない）。ラニアーが触れていないのは、ソーシャルメディアの害がすべての人々に対して同じではないということだ。ある面においては——たとえば、社会的地位に関する容赦ない不安など——若い男性よりも若い女性に偏って影響を及ぼす場合がある。*6

そこで第二のオプションがある——少なくともある種の人々にとって。それは、ドラッグを変えること。「我々の目にそれほど負担をかけないデジタルエコシステム（訳注：メディアや通信業界などの企業群が、自然の生態系にも似た経済的な依存関係や協調関係を構成すること）は、誰にとってもよい結果となり得る——没入性や中毒性がより少なく、マルチタスキングのために役立ち、有益で社会的に受け入れられやすく、おそらく我々の政治や社会関係への癒しにもなる」とマンジューは熱心に説く。しかし、こうした遠大な主張は信じがたい。テクノロジー過多に対する解決策がさらなるテクノロジーだと、どうして我々は想像しなければならないのか？　声に反応する個人アシスタント型テクノロジーが検索結果やプランを即座に示してくれるからといって、魂を吸い取るスクリーンよりも、いかに「没入性や中毒性がより少なく」なるのか？　確かに、視覚による刺激は我々が経験するなかで最も強力なものだろう。しかし、少なくともスクリーンがあれば、自分が中毒に隷属し、そして中毒を引き起こす関心経済《アテンション・エコノミー》企業の利害に隷属していることがわかる。常に付き添ってくれる親切なデジタル執事《バトラー》として企業のエージェントが家のなかに招じ入れられるようになったら、魂とソフトウェアのスムーズな統合は完成したことになるのではないか。この分析では、革命に対する熱い期待が感じられるが——「革命」という言葉が見出しにも使われている——新しい段階の偏在的つながりがいかに政治や社会関係への「癒し」になるのかは、具体的にほとんどわからない。政治や社会関係も、いまではソーシャルメディアの形で、間違いなくテクノロジーによって汚されているではないか。正確には、いかにして脱スクリーンのネットワークが我々の助けになるのだろう？　アレクサは我々に代わって投票したり、我々のためにロビー活動をしたり、してくれるだろうか？　シニカルな結論を述べても責められはしないはずだ。ここで起きている唯一の革命は、すでに支配的なテクノロジーの大企業が、また新しいおもちゃを我々に差し出し、遊びなさいと言っているだけなのである。

そして最後に、正直になろう。世俗の仕事をすべてアレクサかシリに託したとしても、私にはまだ認識の容量がたくさん残っている。それは意味がなくても強制力の強いアプリやゲームの侵略を受けやすく、こうしたものによって消去されてしまいかねない。スクリーンはまだ上限に達していないのだ。中毒はまだ、我々の目を通して、脳の美味《おい》しい部分に蔓延《はびこ》ろうとしている（中毒に関しては第3部でさらに述べる）。

もちろん、こうしたツールのすべてのユーザーが退屈していて、孤独なわけではないのは、ソーシャルメディアの参加者が挑発的なことを書く人ばかりでないのと同じである。しかし、テクノロジーは決して中立的なものではない。その傾向や偏向は、使いやすさや親しみやすさによってしばしば打ち消されているが、実際のところ我々の返答や反応を条件づけ、我々の不安定な主体性の諸要素を形成しさえする。我々が日常生活でウェブサイトのために費やす時間とタイピングは、意味とつながりを約束するものだ。我々は、インターフェースのお気に入りの名詞を動詞化した言葉で言えば、「友達している」。しかし、キーボードが約束する「意味」は、芸術が約束する幸福と同様、永遠にその実現を先延ばしにされているように思える。[*7] ときに我々は退屈からスクリーンに向かうが、それ以上頻繁ではなくても同じくらい頻繁に、スクロール自体の過酷な退屈さをそこに見出すだけである——気晴らしを求めた場所でまた気晴らしに逃げ込むことになる。

このことは我々がスクリーンとキーボードから離れ、声で指示できるようになったとしても、変わりようがない。人工知能は我々が関心を抱くために、つまり我々が——アマゾンでの購入であれ、気まぐれなツイートであれ——何かとつながりたいという悲しい習性を持つために、どんどん強力なものになっていき、こうして半ば壊れた人間たちからの抵抗はほとんど受けることがないのである。我々はより強い刺激でも緩和できない倦怠感《けんたいかん》に溢れ——我々の精神という液体はすでに過飽和状態なので——もっと目的と一貫性を持つ人工知能たちに簡単に騙されてしまう。我々は結局のところ、この幽閉状態を進んで受け入れたのだ。孤独は、約束されたつながりの影絵芝居において、さらに孤独を生み出してしまう。

ここにおいて、こんな懸念はパラノイアだ、恐怖を煽《あお》っているだけだ、と人々はいつも言う。隠したいものがないなら、監視に大騒ぎする必要もないじゃないか？　あなたのすべての動きを追っているアルゴリズムから買い物の提案が来て、それが役に立ったのなら、それでいいじゃないか？　おそらく我々は心配するのをやめ、新しい買い物のサイトやサーチエンジンの巨人を歓迎すべきなのだ！　そうでなければ、おそらく我々は思い出すべきなのだ、理性的な思考が本当に意味しているのはこれだけだということを——互いを真剣に受け止めるよう努めるという合意の維持。特に、自己の条件がここまで弱くてはかないものとしか思えなくなったら——アプリやヒット、ダイレクトメッセージ、検索用語などに縮小されたとしか思えなくなったら。クリックベイト（訳注：ウェブページの閲覧者にクリックしてみる気にさせるリンク）に不注意にも高揚してしまう一連の動作にすぎなくなった自己は、より少ない真実ではなく、より多くの真実を必要とする。「オルタナティブ・ファクト」とポスト・トゥルースに基づく確信——つまり、根拠なき確信——の時代に、我々は真実を規準にしなければならないことを改めて心に刻み、あらゆる形で浸透するインターフェースの影響に対抗しなければならない。

しかし、現在の社会政治的コンテクストに立ち向かい、そのなかでの我々の消費者かつ市民としてのあり方に対処するためには、哲学的な批判が最高に啓発的だとする標準的な見方もまた修正されなければならない。これは難しいかもしれないが、退屈ではないことを私は約束する。

人々は二四時間通知され続ける最新ニュースの光景にうんざりし、とても退屈して、政治をもっと自分たちの好みのものに変えようという信念を一段階アップさせる――これは、正確に言えば違うだろう（ある程度の真実もこの説明には含まれているが）。それよりも真実なのは、私の考えでは、地域のコミュニティが持続可能な意味をどんどん剝奪されているように思われること。ゆえに我々は個人の（しばしば乏しい）内的資質に無理やり頼らざるを得なくなる。ここで退屈との関係が明らかにされるべきだ。言葉や声明がかつて意味していたことをもはや意味せず、あるいはそのタイミング次第で自由に変動する「オルタナティブな」意味しかないとすれば、我々は意味の危機に瀕している――政治理論家のマイケル・E・ガーディナーが言う「記号資本主義《セミオキャピタリズム》」（訳注：明確な意味を失った記号の流通と消費を現代の資本主義の基盤として解釈する見方）だ。

後期近代資本主義の伝統的な批判者たちは、資本主義の条件下における主体性形成の不完全さとの関連で「不安、憂鬱、無関心、あるいはパニックといった感情の状態について語る」。しかし、「彼らは多くの人が我々の時代に最もありがちな気分、あるいは感情であると考えるもの、すなわち退屈について、根気よく取り組むことはない[*8]」。退屈は「特質上、両義的《アンビヴァレント》な

（そして取り囲むような《アンビエント》）ものであるにせよ、実体のある気分、あるいは感情の状態として理解される――そして、資本主義の生産様式とそれぞれ独自の形で関係するものとして」。ゆえに、退屈には新しいアプローチで取り組まなくてはならない。ガーディナーの議論が私のと重なるのは、特にこの点である。二一世紀の退屈は、「資本主義の生産様式」と深く絡み合った新しい形のものだ。その生産様式には、メディアによる絶え間ない情報供給も含まれ、論争が「我々」対「彼ら」という対立する二グループに不条理にも分かれてしまうだけでなく、それ以外の場面では真面目な国家の最高責任者が、国民全体を体系的に騙していくことになる。「とにかく我々についてきてください」とトランプ大統領は二〇一八年の貿易戦争の際、七月の帰還兵の集会で支援者たちにこう訴えた。「こうした人たちが発するクズを信じないように。あれはフェイクニュースです。ただ、これを覚えておいてください。あなた方が見ているもの、読んでいるものは、実際に起きていることと違います」。

　では、我々は真実が解釈次第であると言いつつ、どうやって記号資本主義《セミオキャピタリズム》の混沌《こんとん》から逃れられるだろう？　ある種の解釈学や批評理論の正統的な考えは、真実が常にコンテクスト次第だということだ。主張の妥当性は所与の解釈の枠組みまたは方法によって決定され、それが生む真実の主張は所与の言説内部で妥当と見なされる。この見方は、ときどきポストモダンとして批判されるが、むしろハイモダンであり、真実に関してはしばしば「相対主義」あるいは「主観主義」として批判されるものである。もちろん、それはこうしたものではない。というのも、コンテクストに依存するとは、異なるコンテクストが複数の真実を平等に、そして矛盾なく真実であると考えること（それはほとんどの人が相対主義と呼ぶものである）を退け、複数の真実を異なるコンテクストから比較することを禁じる。また、コンテクストへの依存は、単一の視点だけに基づいた世界の説明（ほとんどの人が主観主義と呼ぶもの）も認めない。一方、ポストモダンとされている概念を右翼の政治組織がシニカルに流用することは正直でも解放的でもなく、シニカルで利己的であると一貫して明らかにされている。そして、ポストモダンの概念はそもそも左翼の批評家たちが権力と信念の構造を具象化し、それについて考えるために使ったものだが、だからといって彼らの責任でもない。[*9]

この認識論上の論争が持つ倫理的かつ政治的意味合いは長いこと注目されてきた。判断と行動に関する真の基準というのはあるのだろうか？　それとも、文化によって異なる習慣があるだけなのだろうか？　我々は信頼に値する客観的な基準に従って、行動と評価の問題を決定できるのだろうか？　それとも、果てしない解決不能な論争にいつでも巻き込まれるだけなのだろうか？　このように述べてしまうと、これは評価の規範の問題に関する誤った二分法となる。信頼に値し、行動の指針となりながらも、普遍的な地位、または人間を超えた地位を自任しようとしない判断基準はあり得るのだ。我々は倫理的な生活を打ち立てるのに、客観的な見方を死守するという代償を払う必要はない。コンテクスト主義は、一歩間違えば有害なこの二分法から離れられる有望な一つの道であり、私はこれからの議論でそれの一つの形を追究し、擁護したい。主観的か客観的かという縛りは、自分に課した束縛であるとわかるはずだ。そこから我々は、矛盾や無秩序状態を自らに招くことなく、脱却できるのである。

しかし、現時点でより興味深いのは、コンテクストに依存することの政治的意味合いである。もし「ポストモダン」左翼があからさまにイデオロギーに基づいた意図を持って真実を扱い、政治的な目的に従属させたと非難されるのであれば、実のところ、同じ手段で怪しげな勝利を収めたのは政治的な右翼なのだ。この流用を見事に要約しているのは、かつて匿名扱いされていた人物――現在ではかなり信頼できる情報として、ジョージ・W・ブッシュの戦略家にして首席補佐官、カール・ローヴ――のものとされている、次の言葉である。ほとんどの人々が「現実に基づいたコミュニティと我々が呼ぶもの」に住んでいるのだが、ローヴはそうした人々を「認識できる現実を慎重に分析することから解決策が現われると信じている人々」と定義する。しかし、実際には「世界はもはやそのように動いていない。我々はいまや帝国であり、我々が行動すれば、我々独自の現実を作り出す。そして、あなたがその現実を――やりたければ慎重に――分析しているあいだに、我々は新しい現実を作り出し、それをあなたはまた分析できる。そのように物事は進展するのだ。我々は歴史の主役である……そしてあなたは、あなた方すべては、我々がやることをただ分析するしかない」[10]。ポストモダン右翼の現実政策は、このように「現実」と「事実」を作り出し、「フェイク」だという（決定的に）歪んだ非難をすることで、特定の政治的課題を成し遂げようとする。今日、これに関して多くの人が最も驚くのは、この事態があの人物から始まったわけではないということだろう――予想に反して当選した四五代大統領、トランプから始まったわけではないのだ。

叶えられない宿命にある願望

言説に関する――特に政治的な言説に関する――素朴な言説のなかで最も基本的で最も間違った前提は、「事実」または「事柄の事実」が一方にあり、もう一方にこうした事実のさまざまな――おそらく競合する――解釈があって、そのあいだにははっきりとした線が引かれているというものだろう。この前提は一つの仮説の誤りを表わしている――すなわち、ある基礎となる現実にはいくつもの解釈が並び立っており、それは努力と方法論を通して、おそらく競合する解釈のなかの中道路線によって識別できる。さらに、基礎となる現実がこれであると一度識別されれば、手元にあるどんな問題に関しても、それが決め手となるはずだ。しかし、たとえば黒澤明の古典的映画、一九五〇年の『羅生門』を見る経験を考えてもらいたい。日本の山間部で起きたレイプと殺人に関わる「同じ」一連の出来事を、恐ろしいことに、目撃者や関係者が少しずれた形で語る。その結果、我々は矛盾し競合する「真実」の諸バージョンを見せつけられる。しかし、順に披露される四つの説明はどれも自己中心的で、奇妙で、決定的ではない。

我々はこれをどう考えたらよいのか？　どの物語も実際に起きた事件の真相とぴったり当てはまらないが、それぞれが少しずつ真実の要素を含んでいるのだろうか？　それとも、原型となった物語があり、それはどの個人も語れていないが、神の目（あるいは、観客か監督の目）から見るとわかるものなのだろうか？　おそらく、最も不安を掻《か》き立てられるのは、真実がどこにもないという可能性だ――行動や反応、動機、結果などがしっかり配置されているという意味での真実が。当然ながら、最後の可能性が最も高く、最も重要である。人間の営みは、そのなかでも特に極端なものは、「何が起きたか」を「意味づけして説明する」ための前提におとなしく従うものではない。

『羅生門』は、この前提を強調するとともにひっくり返すように働く。そして、その批評の論理は、我々が現代批評理論の「暴露する」機能と呼ぶものと軌を一にしているのだ。暴露されるのは真実ではなく、客観的真実なるものがあってほしいという我々の熱烈な、しかし叶えられない宿命にある願望。その客観的真実が競合する説明をすべて蹴散らしてくれるという期待である。こうした願望は、プラトンからデカルトの系譜の痕跡とも呼べるだろう。我々自身の信念や行動の責任をもっと高所の力に委ねたいという、理解はできるが実現不能な願望だ。絶対的真理への古くから続く希求は、それ自体、不本意ながら中毒になった者が自分の責任から解放されたいと思う、熱烈な願望と似ていなくはない。しかし、それはこんなに単純ではない。認識論上の解放はあり得ないのである。

そこで私は一つの映画が美的に表現したことを、同時代の批評理論と結びつけたいのだが、そこにはいくつかの理由がある。第一に、暴露の義務とでも呼べるものをめぐる知的な合意が、二〇世紀中頃にいかに働いていたかを、ここに見ることができるからだ。私がここで言いたいのは、ニーチェ・マルクス・フロイトとつながる懐疑の解釈学が共有する衝動である。とても大雑把に言えば、思考は決して無垢《むく》ではなく、イデオロギーが至るところで働いており、我々は自分にかかる抑圧を意識しても、その意識自体を抑圧してしまう。それに対する批評の介入は、それまで隠されていたことを示すという形を取る。安心できる社会的因習、政治的欺瞞、そして心理的抑圧などをそれぞれ暴露するのだ。日常の社会も心理も、現行の取り決めの利害に役立つ融和的な幻想を維持するように働く。暴露の義務は洞察力の鋭さを高め、当たり前のことを当たり前と取りたくないという気持ちに勢いをつけることで、この欺瞞の詐欺に対決するのである。

私はこの衝動をハイモダンと名づける。これは後期啓蒙主義というさらに大きな運動と根本的に関わっているからだ。ただし、実のところ、この関わりには長く複雑な系譜がある——特に政治と哲学の分野で。我々はそれをカントの「啓蒙とは何か？」に含まれる有名な勧告にまで確かにたどることができる——「知恵を持て《サペレ・アウデー》（自分のために考える勇気を持て）」。しかし、同様にもっと長く、どこかねじくれた線をたどり、ソクラテスの反対論証《エレンコス》までさかのぼってもよい——日常生活の言葉や概念に含まれる誤った意識の暴露。簡単に言えば、基本的な批評的様式の哲学である。

しかし驚くまでもないが、この土台は不安定であり、それがここでポスト・トゥルースを論じる際に「羅生門効果」と結びつけたい第二の理由となる。この言葉はコミュニケーション理論家のロバート・アンダーソンの仕事から広まったのだが、彼によれば「羅生門効果は見方の違いだけに関わるのではない。それは特に、こうした違いが証拠のなさと一緒になった場合に起きる。真実の一つの可能性を決定的なものと、あるいは不適なものと見なすだけの証拠がなく、それに加えて、この問題に決着をつけようとする社会的なプレッシャーがある場合である」[*11]。最後の要素が重要なのは、いくつもの解釈を経験することが安定を覆すと同時に、いかに新しい安定の新しい瞬間へと導くかを示しているからだ。この「決着」にはもはや基礎となる現実——「起きたこと」を先入観なしに素朴な視点で見る現実——の看板が掲げられない。しかし、にもかかわらず、合意に基づく秩序が持つ基準の力を発揮する。

この衝動によって我々は、隠れた前提とイデオロギー的先入観とに直面することを強いられるのだが、そのまさに同じ衝動が、遅かれ早かれ、それ自体にも前提と先入観があるという二次的な問題を認めなければならなくなる。実に明白な形で、内省が充分ではない批評理論は隠されたイデオロギーを暴露しながらも、その行為自体がイデオロギーになるという矛盾を生み出す。簡単な言葉で言えば、「何が本当に起きているか」を示す仕事は、単純に、存在論上の反動的な確信を前提にするという罠《わな》にはまる。世界をありのままに見ようとするナイーブな見方の代わりに、世界を自己欺瞞的なものと見る「啓蒙された」見方をするのだが、後者は前者と同じくらい、基礎となる現実という観念に基づいているのだ。

さほど明白ではない形では、暴露しようとする努力のあり方が不確かだということになりかねない。これまで埋もれていた考えや関わりを表面に出すことで、結局のところ何が得られるのか？（表面と深みというイメージは、もちろん文学作品にはたくさんある―フロイトの有名な氷山のイメージ、精神の八五パーセントは「水面下」にあるというのが、ここで思い出される）。

したがって、こうした紛糾状態に気づくことから逃れられなくなると、理論家たちは純粋にポストモダン的な転換をし始める。これによって私が言いたいのは、リオタールが著作で説明した伝統的な「メタナラティブへの懐疑心」であるが、すべてがシミュレーションだという論理への回帰でもある――その回帰を煽るのが、標準的な批評理論の取り組みにおける信念の危機だ。この問題はすでにアドルノの後期の著作に見られるるし、（それほどはっきりとではないが）バルトにも見られる。理論書が前提や力関係を脱自然化することで暴露するためのものなら、我々は暴露された状態を「より真実」であると単純に見なしてしまうことからどうやって逃れることができるのだろう？[*12] アドルノは、この基本的な取り組みは「見抜く」取り組みであると捉えており、当然ながら、そこに潜む紛糾や行き詰まりの可能性に悩んでいる。つまり、暴露の論理は「（いま）見られたものの暗黙のイデオロギー化」を伴っているように見え、それは避けることができないのだ。批評的態度を維持するには、ある原則に則《のっと》ってこの論理を拒絶するしかない。

そして注目すべきは、批評の機能がいまシフトしないといけないということだ。というのも、この解釈だけが正しいと主張できるものはどこにもなく、解釈と解釈されたものとのあいだに上下関係を想定しようとする主張もあり得ない。つまり、すべてが解釈だと言ってもいい。だからといって、知と信念に規範があるという考えを放棄するものでもない――どんなものにおいても、それは批評の視点を鋭くする。第4部で結論づけるように、インターフェースからの絶え間ない刺激は、絶え間ない哲学的批評の取り組みによってのみ対抗できる。これが、ネオリベラル的退屈が哲学的退屈に変わるとき、光を当てられる重要な洞察なのである。

もちろん、ニーチェ自身もこの認識論の限界を洞察しかけていたのであり、そのことは事実と解釈に関して頻繁に引用される文章に現われている（「事実などない、あるのは解釈だけだ」）。しかし、ニーチェは決定的な意味において自分自身の洞察を真剣に受け取っていなかったか、あまりに知的暴露の喜びに中毒になっていて、その洞察に完全に専心することができなかった。次の世紀の中頃までには、バルトやその他の者たちが言語学の構造主義的装置を自分たちの文化批評の道具に加えたが、洞察力によって深く見抜こうとする取り組みを捨てることはなかった。大衆文化研究の草分け的な本である自著、『現代社会の神話』（一九五七年）について、バルトは次のように述べている。「本書には、二つの決意が見出されるだろう。一つは、いわゆる大衆文化の言語活動に関するイデオロギー批評をするということ。もう一つは、この言語活動について、初めての記号学的な分解作業をすることである。私はソシュールを読んだばかりで、そこから次のような確信を引き出していた。すなわち、『集団的表象』を記号の体系として扱うことによって、敬虔《けいけん》ぶった告発から抜け出せるし、プチ・ブルジョワの文化を普遍的な神話に変換する神秘化を、つぶさに説明できる、という確信である」[*13]。我々がここに見るのは、暴露の取り組みに関する標準の（そして説得力のある）説明だ。バルトはいつでも我々に、文化的生産と消費の「神秘化」において隠されてきたものを見るようにと求める。こうして脱神話化の取り組みが行われるのだ——特定の（プチ・ブルジョワの）利害が普遍的（自然な）規範へと変わる過程を、その利害の起源、限界、そして政治的傾向を正確に示すことで、推定に基づいて逆にたどる。我々はいまだにソクラテスの領域にいるのである。

　アドルノはもちろん、同じことに取り組んできたが、バルトがこの分野では役に立たないと考える「敬虔ぶった告発」の回避という点については、かなり一貫性を欠いている。アドルノはキャンプや日光浴、テレビ、ラジオ、ジャズ、そして（とりわけ）映画に関する自分の気難しい批評が反動的であるとわかっていた。また、こうした批評が的を外していることも、かなり気は進まないながら、認めるようになった。告発は意味がなく、理解することに意味があるとバルトが感じ取っているとすれば、アドルノは単純に、時代と場に合わせられない偏屈老人の「わしの芝生から出ていけ」的な態度が捨てられずにいるのだ。

　ドゥボールとボードリヤールだけが、どれだけ困難かを本当に気づいていると私には思われる。[*14] 我々が真剣に受け止めなければならない考えは、事柄の事実といったものはないということ。すなわち、文化はあからさまなブルジョワの利害を支えるために働く詐欺ではなく、その代わりに空虚な「意味するもの《シニフィアン》」と無秩序な光景《スペクタクル》の自由な行動であって、それは——そう——現行の利害を強化しがちではあるが、見つけようと思えば見つけられる真実を隠すことによってではない。実際、基本的な真実は誰にでも見ることができる——絶対的な真実は作用していない！　という真実。あるのは解釈だけ。あとは、半ば無秩序に配置された文化的財産があるだけで、それは示唆したり挑発したりはするが、決してはっきりとは語らない——語れない――のである。これを理解する人は真のポストモダニストだ。真実を暴露することによる解放の論理に無意識的に逆戻りしない人々。現実と幻想の境界は安定したものではないし、おそらく存在もしない――そう受け入れる人々である。

これが政治的に意味しているのは、もちろん、光景《スペクタクル》の包括的勝利が――メディアによるシミュレーションが絶え間なく作用するなかで、あらゆる退屈の追放を約束しているあいだにも――ほかの価値の尺度をすべて無意味にするということだ。「リアリティTV」的大統領が登場するようになったことは、真実と幻想が区別不能となった認識論的システムの自然な流れである（訳注：リアリティTVは事前の台本や演出のない、現実に起こっている予測不可能な状況に、素人出演者たちが直面するありさまを追うテレビ番組のジャンル。大統領になる前のドナルド・トランプは「アプレンティス」というリアリティTV番組に出演していた）。このように真実と幻想の区別が消えること――伝統的な権威の衰退、ソーシャルメディアの広い普及、「本当の生活《リアルライフ》」という認識が侵食されるなど――を可能にした構造的条件にこだわり続ける人もいるかもしれないが、それらはすべて同じ結論につながっている。我々はもはや虚偽と真実とを、見かけと現実とを、確実に区別することはできない。長く続いてきた西洋哲学の取り組みは行き詰まりに達し、その結果、誰でも何でも言えてしまえるだけでなく、その「何でも言う誰か」が地球上最強の国の最高権力者である、ということがあり得るようになったのだ。ポストモダン状態にょうこそ！

現実になる

もちろん、人間の営みの領域では――というか、実際、認識論の領域では――何一つこんなに単純ではない。多くの人がトランプ大統領には幼稚な虚言癖を、しかもかなり原始的なものを認める――「我ら」対「彼ら」といった基本論理に喜びを感じる人々の爬虫類《はちゅうるい》並みの頭脳にアピールするものを（これは確かに、より高度な政治力となり得る―味方と敵というカール・シュミットのより微妙な現実的政治哲学と比較していただきたい）[15]。

「ドナルド・トランプとほかの世界の権力者たちは、事実の歴史のなかでどこに当てはまるのか？」と評論家のイアン・ブラウンは問うた。「このところ、トランプ氏とその仲間たちが超洗練された〝ポスト・トゥルース〟タイプであると主張するのが流行である。彼らはポストモダニズムの領域を奪取し、すべてが相対的であるという便利な高所に到達しており、そこでは相手を説得さえできれば何でも真実になる」。ブラウンはそれに対して異議を唱える。「事実の歴史のなかで第四五代大統領は実のところ退行しており、より原始的な意識への先祖返りである。しかも、彼がそうなることを可能にしたのは、デジタル情報技術なのだ[16]」。ブラウンはその主張を繰り返す必要さえ感じ、次のように言う。「ドナルド・トランプを事実の歴史のなかで理解するのが重要である。彼は洗練されたポスト・ファクトのポストモダニストではない。彼は先祖返りであり、それはヴォルテールの合理性からルソーの感情過多へとさかのぼっただけでなく、それよりもずっとずっと、ずううううっとさかのぼり、啓蒙主義以前の神秘的シャーマニズムへ――プラトンの洞窟の比喩にある、影を真実と信じた人々の世界へ、アブラカダブラとおどろおどろしい炎の閃光《せんこう》の時代へとさかのぼったのである」。

トランプのモダニズム以前のように見える特徴は、実のところ右翼的ポストモダン状況から現われたものである。確かに、トランプはこうした状況を意識的に作り出したというより、それから思いがけず恩恵を受けた者だ。しかし、事実を尊重しないという彼の能力、あるいはオルタナティブな事実に依拠する能力は、彼の成功に欠かせない。近代以前のメディア時代を体現する者《アバター》が現われたことは、新しいポストモダン状況の論理的な延長線ではないのか？

このことは、彼が好むコミュニケーション手段に特に顕著である。反応の速さと文章の短さ――改定されたバージョンでも二八〇文字――に依拠しているツイッターだ。それは力を拡張するものであるが、政治的な分断と認識の混乱をもたらす特殊な面も持っている。人々は誰をフォローするかを選び、それにすぐ続いてフォロワーをめぐる経済的な競い合いがある――有害にもなりかねない人気コンテストがあり、大統領は次の一手を動かすこともせずに勝ってしまう。そこには直線的思考の可能性も息の長い議論もない。そして、スマートフォンまたはスクリーンに全面的に基づくメディアの場合と同様に、たとえつながっていると感じても、その意思疎通は分離している。パイリング・オン（訳注：同じような投稿が一カ所に集中すること）は日常茶飯事で、その理由の一部は、どこかで集中管理しているわけではないからだ。多くの人が誰に相談することなく、同じ非難（もっと稀だが、称賛）の言葉を発する。それぞれのツイッターユーザーが、その同じ分離から生まれた権威の声をもって語っている。幸い、ほとんどのユーザーは配備可能な核兵器を持っていないが、不幸なことに、そのうちの一人、最も怒りっぽくて制御の利かない者は持っている。

ポストモダニズムは伝統的に左翼と同一視されてきたので、我々は帝国主義的右翼による——あるいは、より最近では、ポピュリストで孤立主義者の右翼による——過激な乗っ取りにこれまで以上に心を配らなければならない。帝国が現実を作り出すという話を先に引用したが、こうした話は典型的なカール・ローヴ的空威張りであるとして退けたい気持ちを、人は抱くことだろう。そして実際、二〇〇八年の大統領選で共和党が負けたことで、多くの人々はブッシュ政権の帝国主義的「ミッション完了」という態度は過去の遺物であり、逸脱であるという望みを抱いたはずだ。しかし、私はここでローヴが深い洞察力を持っていたと認めざるを得ない。つまり彼の診断は、たとえアメリカの帝国主義的ミッションがない状態でも、正しいのだ。言い換えれば、ローヴは新しい千年紀が新しい基準の政治的言説と行動を作り出したと気づいていた。古い啓蒙主義の敬虔ぶった思考は歴史のゴミ箱に捨てられた——理性によって見抜くことのできる「現実」なるものがあり、それを見抜くことには行動を変える力があるという前提も含めて捨てられた。それに取って代わったのが、我々がみなよく知るようになったポストモダン右翼の現実政策——権力は（ローヴの公式では「行動は」）それ自身の規則と（暫定的な）現実を作り出すという確信である。こうした要素はポピュリズムのサーカスとも言える、完璧に恥知らずな現在の共和党政権に変質し、恐怖、不信、混乱、そして言うまでもなく、退屈の入り混じった状態を作り上げた——容赦なく更新され続ける非道行為への退屈である。「現実に基づいたコミュニティ」の規範と方法にいまだ囚われた我々は、ただ手をこまねいて傍観するしかない。我々の鋭い精神という道具、証拠と論理という研ぎ澄まされた鑿《のみ》は、手品のトリックにすぎない——そして、さらに悪いことに、吟味されぬまま実行に移されると、結果は我々自身のただ目を眩《くら》ますことにしかならない。

二〇一〇年のシティズンズ・ユナイテッド裁判の判決は、同じように陰惨な結果をもたらしている——いまの政治的現実であるツイッターの投稿やイブニングニュースでは、ほとんど問題にされていないが。裁判所の見解では、合衆国憲法修正第一条に基づいて、独立した企業による政治的キャンペーンへの出費を制限するのは——直接的な政治資金の寄付とは逆に——言論の自由に対する制限であって、違憲であるとした。この判決は政治参加の機会代価を量化する（そして引き上げる）ことで民主主義を妨げている——と同時に、民主的参加の考えを金銭に還元している。確かに、数十年にわたって、企業はアメリカの法律において市民としての権利の一部を与えられてきた。しかし、シティズンズ・ユナイテッドはそのような権利を拡張する以上のことをしている。金権政治の実体のない陰険な論理によって、それは選挙のプロセスを資金豊富な利害団体に効果的に譲り渡してしまった。その資本の合同はいまやすぐに影響力の合同に変わってしまうのである。

最近の政治史のこうした結果は相互に関わっていないように見えるかもしれないが、多元主義、礼節、誠実さなどに関する標準的リベラルの観点では、それは関係があるだけでなく、緊急性が最も高い問題である。アラスデア・マッキンタイアはその一九八一年の著書、『美徳なき時代』で、実行可能な美徳の倫理を打ち立てるには、望ましい人格または行動の特徴を並べたリストだけでなく、もう二つの要素がどうしても必要であると主張している。[*17] 第一に、人が演じるべき役割の感覚がなくてはならない。アリストテレスの言う思慮深い人、イギリスの文芸黄金時代の紳士、倹約家のニューイングランド人といった、徳のあるアイデンティティである。第二に、羅列された美徳を実行するのに適した背景となるコンテクストが必要だ。行動と人格の相互補強のサイクルを確かなものにする、一連の前提を共有すること。

多元主義や礼節に関するほとんどすべての哲学的議論は——美徳を明確に根拠とするかどう

かはともかく――まさにそのようなコンテクストを前提とする。公的な理性、妥当な申し立てができる裁判、明瞭な発言を好む個々人の存在、などだ。しかし実のところ、その前提がフィクションとしてのみ維持されているコンテクストだったらどうなるだろう？　真の影響力や発言の概念さえも国民一人ひとりの手からこっそりと――といっても、それほどこっそりとではなく！――奪われ、金銭の形態を取って、実体のない機関の手に、権力の複合体の手にわたってしまっているとしたら？

市民生活のこうした実際的な現実に目を向けなければ、我々はやっていけないように私には思われる。そして、我々が日常生活で退屈しのぎの装置に没入していることで、この現実が果てしなく再生されていくさまに目を向けなければ。ソーシャルメディアは健全な公的言説の代替としては不適切という以上に悪いものであり、激しい非難や長広舌、日々の出来事に対する暴力的反応を引き起こしたりする。我々個人のわずかばかりの意味を拡張するツールとして、あるいは無感動からの小休止として、我々が依存するようになるものが、結局のところコミュニティを空洞化させ、分離を促進するという、相殺する効果をもたらしてきたのである。したがって礼節の擁護者たちは、これまで支配的だった慎みに基づく希望的な主張を捨て、その代わり、体系的に歪められた言説の分析を含む議論の方向を模索しなければならないだろう。言説が体系的に歪められるなど、かつてはイデオロギーに偏った、あるいは狂気に偏ったときしか起こらないと思われていたのに――たとえば、そうハーバーマスは考えていたのだが。同時に、我々があまりによく知っているように、「礼節」という考え自体がまさに熱い議論を招く概念となっている。

たとえば二〇一八年の夏、ホワイトハウス報道官のサラ・ハッカビー・サンダース――はぐらかしと敵意で悪名高い、トランプ政権の応援団――がヴァージニア州のレストランで退席を求められたとき、それに対する非難の嵐と政治生活での礼節を求める声が湧き起こった。レストラン側の要請に無礼な部分が特にあったわけではない――サンダースとその一行はアペタイザーをすでに頼んでいたが、その料金は請求されなかった。しかし、当然ながら反発は素早く、口汚く、まさに礼節を欠いていた。そして、こういうことがえてしてそうなるように、礼節を求める声は活動家や支援者たちによって無礼に退けられた――礼節は政府の利害を微笑みで隠蔽するものであり、丁寧さは正義を否定する服従であるとして。

丁寧さと礼節はもちろん別個な概念だが、意見交換の温度がこれほど高くなると、議論するのは難しい。[*18] かつて規範とは、だいたいにおいて善意による合理的な言説だったのだが、おそらく我々の時代の悲しい結論は、規範からの逸脱とかつて考えられていたものが、いまでは新しい規範になったということだ――狂気にもしばしば似通った、根拠薄弱なイデオロギー的発話、理性で説得できない発話が規範となった。もしそういうことなら、あるいはそれが部分的にでも正しいのなら、議論の新しい針路が必要かもしれない――礼節がよいことであると示すよりも、無礼がなぜ自分のためにならないかを示すような、否定的に働く議論。この種の集団行動の問題を扱う議論は、より理想的な信念を持つ人々にとっては、疑いなくシニカルに見えるだろう。こうした議論は自己を封じ込めるリスクを冒し、勝利のために貴重な部分を明け渡す――たとえば、人文学教育の価値を擁護するために、それでロースクールの合格者を増やせると言ったり、四〇歳のときに中の上くらいの収入を得られると説いたりするようになるのである。

確信中毒と理性の足場組み

二〇一七年の夏、シャーロッツヴィルで起きた血なまぐさいネオナチのヘイト集会は、いまのホワイトハウスの極端な道徳的空虚さを露《あらわ》にした（訳注：右翼団体の集会に抗議する人々と集会の参加者とのあいだで暴力的な衝突があったが、トランプ大統領は右翼側を特に非難することはなかった）。それに加えて、基本的なイデオロギーの違いに対処するにあたって、もっと同情と共感が必要だという声を呼び起こした。右翼的な怒りに耽《ふけ》る人たちの心理的ダメージをいかに理解するかについて、評論家たちがナショナル・パブリック・ラジオで熱弁をふるった。政治的議論の「反対側」にいる人たちにどう関わるかという術についての授業が開かれた。こうした努力や感情は気高いが、失敗する運命にある。リチャード・スペンサーやデイヴィッド・デューク（訳注：いずれもアメリカの極右主義者）の意見――トランプのツイッターの投稿はもちろん――などに一分間晒されるだけで、ここではもはや理性的な議論が不可能だということがわかるだろう。ナチズムは弁護の余地がないという道徳の基本線はある。我々は同様に、公共の言説を作り出すとともに、それから恩恵を受ける者として、ほとんどの人が実際にはさほど効果的に理詰めで説得されるわけではないことも認めなければならない。よりよい議論（標準的なハーバーマスの言葉を使うなら）がおのずと持つはずの力は実際の議論と永遠に衝突し続け、哲学的な幻想であることが明らかにされる。理想的発話の高みにまで到達できないからといって自分自身や他人を非難すること、あるいは、広報活動が政治的対立を癒す魔法の杖《つえ》であると思い描くことは、ジョディ・ディーン（訳注：コミュニケーション資本主義という概念を提唱するアメリカの政治学者）の言う「メディアが自らを屠《ほふ》るハーバーマゾキズム」[*19]に耽ることだ。いや、批評的介入の戦略を変えなければならない。

以上のような理由で、理性の規則に理論的に加担してきた者としては辛《つら》いところなのだが、私はこう言わねばならない。我々が公共の議論で必要としているのは、理解しようともっと努力することでは絶対にない。理性的な公共の空間というユートピアは幻想だ。それを掘り出すようにと熱心に説くことは――アメリカの核となる価値観であれ、カナダの寛容さであれ、それ以外の政治的な幻想という形であれ――無駄である。我々が必要としているのは社会科学者が足場組みと呼ぶものだ。この言葉が意味するのは航空交通管制、高速道路のジャンクション、出口の標識、並んで待つ習慣など、規準となるもの――個人の利害の衝突が混乱を招きそうなときに、人間の行動を調整するささやかなメカニズムである。より微妙なケースでは、スクリーン・タイムの誘惑に関して述べたように、ソーシャルメディアへのアクセスを拒絶するコンピュータのアプリという形で、我々は自分の欲求を抑えようとするかもしれない（アメリカのイネイブラー・イン・チーフ《訳注：メディアに登場して、特定の商品などを強く推奨する人、この場合はソーシャルメディアで毒舌をふるい、同じような発言を煽っているという意味で、トランプを指している》もこういうのを使うとよさそうだ）。インターフェース限定の抗中毒足場組みがあるとすれば、厳格なスケジュールに則ってメディアを断ち、瞑想《めいそう》や運動の時間を設けることや、ネオリベラル的退屈を――そこには我々に果てしなく刺激を求めさせるという傾向が埋め込まれているが――哲学的思索の方に向けることなどだろう。もちろん、極端な場合には、有害な物質的中毒者に対するような自由の制限を課すこともある。中毒者は試したければいつでも治療や自己管理を試せるが、我々も知っているように、ドラッグをまったく入手できなくすることや、温和な行動変容を課すことでさえ、それよりもずっと効果的だ。こうしたものすべてが中毒症のための足場組みと考えられる。

もちろん、同時に言えるのは、インターフェース自体が足場であるということ——それは人間の行動を特定の方向に誘導しようとする——あるいは推し進める。特に、メディアの世界を支配している企業の資本主義的利益を強化する方向に。足場は決して中立的ではないが、それはおそらくさまざまな異なる目的のために組まれる。より利益になる市場と、それを維持するための信念とを作り出すことも、より社会的かつ個人的に有益な行動を起こすこととまさに同じくらい、現実にあり得る所産である。

この点に関して、政治的信念もまた人間行動の一面であり、外的管理が必要だと認めようではないか。それを確信中毒と呼んでみよう。こうした中毒は薬物乱用による苦しみと似ているところがあるが、もちろん、それよりはメディアによる中毒とより似通っている。実際、この二つはしばしば連携して進む。ある種のプラットフォームは——我々の時代のツイッターなどに顕著だが——頑《かたく》なな、おぞましくさえある意見の表明を許し、駆り立てるのだから。形式はわざと短くし、ほとんど電報のようになる——自分の「主張」をしたら、さっさと引き上げる。微妙な表現や差異を好む傾向が残っていたとしても抑制し、強くて熱のこもった言語を推奨する。結局のところ、そのプラットフォームが利益のために必要とする「いいね！」や「リツイート」を、それ以外にどうやって生み出せるだろう？　ここではインターフェースの要素がはっきりしていなければならない——ユーザーは強い意見を表現するのが言語による参加の形だという感情に煽られ、さまざまな刺激を受けて、表現する意見をどんどんエスカレートさせる。このエスカレーションが今度は、特にレスポンスを受けることと、議論が続いているという全般の感覚から、さらに促進される。確信がそれ自体のドラッグとなるのだ。

確かに、社交のために酒を飲んでいる人のように、自分の意見を調整しながら、一日じゅう頭脳明晰《めいせき》でいられる人もいる。そうでない人は、乱暴な言動をしたり、感情を露にするといったパターンに落ち込む。自分を抑えられないのだ。きっかけとなるドラッグは人の話の腰を折ること、反論に対して声を荒らげること、そして対話者の言うことをわざと誤解すること——どれもCNNの番組の標準的な展開だ。みなに認められた事実が関わっていようと、一瞬のうちに解釈についての有用な倫理を打ち消してしまう。次に確信中毒は表に現われない力に対して喚《わめ》き散らし、他民族グループを悪魔視し、賛同を得たい集団にしか理解できない表現を用いるようになる——これもみなレベル・メディア（訳注：カナダの極右ウェブサイト）やショーン・ハニティ（訳注：アメリカのトークショーの司会者で極右のコメンテーター）などと同じ標準的展開である。最後に、歯止めになるものがないと、彼らはナチスっぽい髪形になり、白のポロシャツを着て、松明《たいまつ》に火を点ける。「ユダヤ人が我々に取って代わることはない」といったスローガンは、文字どおりには何も意味していないのだが、この時点でその事実は欠点ではなく、スローガンを目立たせる特徴となる。

古典的なリベラルたちは、劣悪な演説に対抗できるのはもっと議論すること、よりよく議論することだと主張する。思想の市場は劣悪な株を空売りし、優良株に投資をする、と。悲しいかな、そんなことはない。精神の市場は、富を左右する市場よりずっと理性的ではない。後者は噂《うわさ》やちょっとした政策の変更、でたらめなツイートなどによって高値から安値へと変動する。そのため市場の規則、反トラスト法や証券取引委員会が必要となる。これらは取引に対するしっかりとした足場であり、極端な超過と闘うことを意図されている。とすれば、個人の意識は、最も強欲な企業よりもかなり理性的ではないと考えよう。思想の世界では、我々一人ひとりがただ存在しているというだけで、有限会社を構成するのに充分である。これは恐ろしい！　ここにはどんな論証も不可能だ。憎悪する者はただ憎悪する。

研究が示しているのは――ポスト・トゥルース状況における我々がおそらく予期するとおり――「事実」は広く論証されていても、我々の信念への影響という点でほとんど力がないということだ。[*20] これは、理詰めで人の精神を変えられると信じてきた者たちにとっては気の滅入ることだが、妄想による過ちを犯さないようにするためには、理性の限界を受け入れるのが現実的なのである。理性が人間の思考と行動に限定的にしか作用していないと指摘するのは、「理性」なるものへの非難ではない。当然ながら、理性に訴えかけることは、特にしっかりとした信念（政治的な信念はその顕著な一部門である）のレベルになると、小さな力しか発揮できないことになる。もしかしたら人の意見をよく聞く人が討論会や大学の教室で哲学的な反対意見に接し、心を動かされて、自分のコアとなる信念が崩れ始めるといったことがあるかもしれない。これは素晴らしいし、畏敬の念を起こさせるし、大変なことだし、そしてもちろん、めったにないことである。こんなことが起きるのか？　起きる。そして、教師ならこういうシーンに伴う責任の重荷を感じるはずだ。結局のところ、理性のペテン師となることは、その献身的な助産婦になるのと同じくらい容易《たやす》い。ソクラテスはある者たちからは神のように崇《あが》められていたが、別の者たちには狡猾な魔術師と思われていた。

では、同様に我々すべてのなかに確信中毒的な資質があることを認めようではないか。そして、規則であれほかの形であれ、言葉に対する制限をいっさい設けず、公共の場で自由に討論することが理性へとつながるといった想像はやめよう。言葉に対する制限と議論に関する厳格な規則——話の腰を折らない、スローガンを述べない、一方的に有利な事実を並べないなど——は、いくつかの場面においては正しい答えだろう。カナダでもほかのところでも、政府がすでにヘイトスピーチを禁じている。さらにその先に進み、参加者が受け入れるべき言説の規範、公共の場での無礼な行為への罰則などを定め、ソーシャルメディアを積極的に規制すべきである。メディアによるパネルディスカッションを禁じたっていい！（これは実現しないだろうが、いつでも提案さえされれば、右翼にとっても左翼にとっても人気のある提案となるだろう）。こういう条件に基づけば、我々はなお共存できる——不安定な利己心が支配する「悪魔の共和国」においても、無条件で従うべき諸法則があれば共存できると、カントが想像したように。

しかし、我々が折り合いをつけていられるのは徹底的対話を通じてではなく、まして妥協を通じてでもない。確信に陶酔するのもほどほどにしよう。もっと規制を強くし、会話は減らす。事実に関して、真実に関して同意できないときは、それでも一緒にやっていくこと、別々のライフプランを追求していくことに、少なくとも同意しよう。それが安定した未来への道なのだ、友人たちよ。つまりは、無理に友人であろうとしないことである。

この穏やかな提案を厳格すぎると感じ、疑いを抱く人がたくさんいるのも確かである。こうした方策を支持する短い文章を発表したあと、私はオンライン上で予想どおり激しいリアクションの嵐に見舞われた。[*21]「次段階のオーウェル的世界観の持ち主」、「全体主義者」、「左翼の愚か者」などと呼ばれ、「戦闘的左翼の政治哲学」を習得しているとか、「アナキスト左翼を励ます会」の主催者だとか言われた（最後のコメントをした人は、戦闘的左翼の政治哲学に関して少し混乱している。カナダが嫌いならば共産主義国に移るよう私に勧めているのだが、それはアナキストを自認する者は絶対にしないことだ。ぜひバクーニンを読んでほしい、友敵《フレネミー》たち！[*22]）。ちなみに、こうしたコメントは、「次段階のオーウェル的世界観の持ち主」から順にツイッター、ブログ、ソーシャルニュースサイトのレディット、おせっかいな人のメール、編集者宛のメールで届いた。確信中毒に対する足場組みを支持する意見を掲載した編集者は、長年の経験に基づいて、コメントを見ないように助言してくれた。私はそれに従って、この記事を掲載したウェブサイトに寄せられた何百ものコメントはいっさい見ていない。だから、そこで何が起きていたかは知らないが、それらが理性的な言説であるとは誰も思わないはずだ。私が気に入ったコメントの一つ、公開している大学のアドレスに来たものは、次のように言う。「この低能な偽《フェイク》教授め。おまえの住むべき場所は北朝鮮だ。おまえは人類に対する恥だ」。もう一人の熱心なメール送信者は私に中国に住んだらどうかと言ったが、北朝鮮に負けず劣らず、そこは私に相応しい場所とは思えない[*23]。

　足場組みを支持する議論は言論の放棄に等しいと考えている、いまだに正気な人々のために——もちろん、言論の放棄などではまったくないのだが——以下で理詰めの議論を展開することをお許しいただきたい。第一に、他人に共感して一体化することこそ公共の場で理性を働かせることであり、それが万能薬であると信じている人たちへ。そういう考えを放棄することは、政府の強制、検閲、「公式」の言説を受け入れることではない。いわゆる自由スピーチ運動という怪しげなものを受け入れることとも違う——これは実のところ、新しい右翼の合言葉なのだ。たとえば、カリフォルニア大学バークレー校の「自由スピーチ週間」を見てみるとよい。外の世界の人が見ると、それはリベラルな学生たちが抵抗した偉大な歴史的事件を讃えるものと想像するだろう。しかし、実は違う。「自由スピーチ週間」をボイコットした多くの教授や学生は、そのほとんどが有色人種だった。彼らは、イデオロギー的に偏った演説者たちに演壇を提供することになると主張したのである。演説者には、スティーヴン・バノンとマイロ・ヤノプルス（訳注：極右のジャーナリスト）が含まれていた。

一方、実際に検閲が提案された例を見ると、二〇一七年九月のロンドンにおけるテロ事件のあと、トランプ大統領が投稿したツイートがある。最初彼はこれを防げなかったということでロンドン警視庁を非難し、その六分後には、「負け犬のテロリストたち」に対して「もっと厳格な」戦略が必要だと言った。「インターネットは彼らが新人を獲得するツールになっている。我々はそれを停止し、もっとうまく使わないといけない！」一人のコメンテーターの反応はもっともだ。「インターネットを停止する？　どうやって？　誰のために？　憲法はこうした行動を禁じているのではないのか？　大統領はこうした細部について考える時間がなかったようだ。というのも、さらに六分後にはこうツイートしたのである。〝アメリカへの入国禁止をもっとずっと広げ、ずっと厳しく、より限定的にしなければならない――しかし馬鹿な話だが、これは政治的に正しくないと言われてしまうだろう！〟」[*24]。それがどういう意味であれ。

もっと真面目な話として、公共の場での共感に限界があると指摘するのは、純粋な言論の自由を放棄することにはまったくならない。抑制は強制ではない――それらの概念をごっちゃにするのは、それ自体が極端に危険である。そしてヘイトに制限をかけるのは、合衆国最高裁の判断とは対照的に、自由への制限ではない。あらゆるスピーチは何らかの形で規制されている。表現の自由にまったく制限のないエデンの園的な状況が存在しないのは、てんでばらばらに力が働いて、それで合理的な経済の結果を生み出せるという、観念上の自由市場が存在しないのと同様である。商品の市場であれ思想の市場であれ、すべての市場は、同じように誰かの有利になるように規制されている。私のここでの提案は、いわゆる思想の市場が——これ自体がかなり怪しいメタファーであり、リベラルの幻想かもしれないが——合理的とされる正当性を追い求めるより、現実的な共存のために規制されるべきだということだ。世界最高の善意をもってしても、合理的とされる正当性が現われる可能性はまずないのだから。[*25]

共感という考えの体系的な誤用、あるいは誤解についても、はっきりと言っておかなければならない。これは感情的な同一化を言うわけだが、私の知識では、文字どおり不可能である。人は実際に他人の苦痛を感じることはできない——もう一人の、もっと魅力的な合衆国大統領の政治的なレトリックで使われたけれども（一応言っておくと、四二代のビル・クリントンのことである）（訳注：クリントンは一九九二年の選挙戦のとき、エイズ患者救済の活動家に「あなたの苦痛が感じられる」と言ったとされる）。人間の感情的な愛着は人間の外面によって制限されている。我々は個人の肉体に宿っており、最も親密な関係においても、この事実を超越する術はない。

もちろん、他人の苦しみに苦しみを感じることはできるし、それが政治的かつ倫理的な洞察の大きな力となる。しかし、正確に言えば、それは共感というよりも同情だ。ヒュームとアダム・スミスがいみじくも社会の要と位置づけたもの——とはいえ、我々はみな自分への関心が強すぎて、（ヒュームの有名な言葉によれば）世界の半分が破壊されても、小指がチクリと刺された程度の痛みしか感じない。この立場は、ヒュームが皮肉っぽく認めたように、ほとんどの人間の途方もないナルシシズムを考えれば「理性に反する」ものではまったくない。ヒュームとスミスはリアリストであった。彼らは、ホッブズと同じように、人間をありのままに捉え、法律をそこから想定されるものとして考えたのである。

要点を見逃してはならない。仲間意識となると、理性は極端に限られており、偶発的なものだ。その上、仲間意識が成り立つとしたらそれもまた極端に限られていて、偶発的である。それを計ろうというのは、多くの心理学の実験で試みられてきたが、おそらく不可能だ。同時に、共感の弱点は実践において明らかにわかる——人が利己的な、ナルシシスティックでさえある幻想に引きこもり、自分の特権に浸っているようなとき。そしてスクリーンがこういう状態を、特に若い人たちのあいだで引き起こしがちだというのも知られている。さらに、同情を共感よりも劣るものだと考える人々、共感と比べて怪しいと考える人々は、自分の特権を精査すべきである。加えて言えば、昨今の「共感のメカニズム」——フェイスブックの「リアクション」

の機能や、それによって投稿に貼りつけられる絵文字など——は、いかなるまともな目的にも役に立たないだろう。リアクションの機能は実のところ、管理の手段にすぎない。この行為の要点は——共感という反応をクリックだけにしてしまうことで——ユーザーの精神測定データを漁《あさ》ることである。

その結果として、共感をめぐる言語的かつ観念的混乱が生じ、それが全般的に癒しを求める文化として機能していると私は考える。その文化は感情的同一化が可能で好ましいと想像し、同情するだけの態度はよそよそしく、不適切であると考えるのだ。[*26] 厳しい事実は、人間対人間の相互作用に関して言えば、同情がものすごくうまくいくものであるということ。それに対して共感は実体がなく、政治的に役立たずであることが明らかにされている。ここに根の深い問題が見えるはずだ。想像でしかあり得ない共感関係を追い求めることは、完璧さを求めるがゆえに、かえって害となるのである。

それに加え、こうした控え目な足場組みの提案には、理性に逆らうものは何もない。理性が影響力を持ち得るときにその力を弱めるものでもない。私は精神が理詰めで変わるものだということを心から支持する！　そしてもちろん、理詰めの説得以外にも会話にはさまざまな有用性がある——親密さを作り出す、自分個人の物語を発展させる、ゴシップを交換する、これらはみな猿の（あるいは）猫の身づくろいを言語でやっているようなものだ。しかし、啓蒙主義者たちが確信していたこととは対照的に、理性とその欠如とのあいだにはっきりとした線は引けない――それをするには我々の認知能力は複雑すぎる。そう、理詰めの説得は可能だ。鋭い対話者（これは仮定上、当然我々自身である）によって内省が誘発され、純粋に行動へと駆り立てる可能性もある。しかし、人間がこうした目的を成し遂げられると当てにできる可能性はかなり低い。そしてほとんど同じくらい、自分の考えを変えることも難しい――人の考えを変えるよりは簡単である、あるいは少なくとも可能な範囲内にあると思っていたかもしれないが。もう一度言うが、厳しい現実は、人間精神は概して変化の方に向かわないということだ。[*27] そうではないと考えるのはものすごく厚かましいし、道徳的に正しくない。忘れっぽい知的エリートが繰り返し犯す過ちの一つだと考えて間違いないだろう。

私は理性的とされている学問の世界の高みに達した人々と過ごしてきたわけだが、その膨大な、そしてだいたいにおいて不愉快な個人的経験に則って、このように付け加えてもいい。理性を支持する人々にとって慰めとなるものは、ここではほとんど見つからない、と。議論が極端に高く評価され、矛盾なく一貫していることが一般の議論では珍しいほど尊ばれているここにおいてさえ、人々の精神の理性的な出会いは――あり得たとしても――朝霧のように一瞬にして消えてしまう。悲しいが本当のことだ。言葉のやり取りは実のところエゴに、社会的地位や職業の立場に、想定される性別に、高齢者差別などに左右されている。そして、いわゆる理性によって折り合いをつけることのできない——まあ、和らげられることはときどきあるが——ほかの多くの要素によって支配されている。言説の制限という私の考えに批判的な人は、合理性とされているものが実世界の会話の指針として実際に効力があるという期待を、そこまで抱かないほうがいい。そんなことは決して起きないのだ。

　では、三番目に、このことは強調しておかなければならない。私がここで提案していることのなかには、ある一つのイデオロギー的取り組みをほかのものよりも高く支持しているようなものはまったくない。言論の足場を、ましてインターフェースの制限を支持する議論は、より活発で生産的な公共の会話がその目的《テロス》である場合のみ、妥当なものとなる。どのようにそうした足場が設置できるのか？　いくつかの方策は自己規制を通して有機的に現われるかもしれないが、その見込みは常に脆弱《ぜいじやく》だ。ほかの方策は、国民皆保険や交通法規と同様、政府の支援が必要である。しかしここにおいても、利己心がうまく利用できるはずだ——制限を制度として強制することが（交通習慣の場合のように）些末なこととなり、従うことがだいたいにおいて自発的になるように。

　批判する人々は、オンライン上の行為や現在混沌としているほかの形での言論に対する規制自体に、より大きな社会的管理の策略を見出そうとするかもしれない。しかし、実のところこの提案は古典的な意味でリベラルだ。つまり、好きなことを考えていいが、全体の平和のために協力し、ほかの人も同じことをするようにしよう、という考え方。この見解は、あまねく受け入れられるような社会的通念などないかもしれない――「常識」（よくある提案だが）というような漠然とした公式さえもないかもしれない――ということを受け入れる。そしてもちろん、（少数派だがいまだに人気のある見解である）慈悲深い聖なる創造主といった、本来的に論争含みの土台もないということを。我々は、現在のソーシャルメディアにおける会話の最前線が民間企業によって作られ所有されているものだということを思い出さなければならない。彼らの生産品はあなた方であり、顧客はあなた方のデータを欲しがっている広告主たちだ。ソーシャルメディアは自分たちが公益の役に立っており、言論の共有地であるというふりをしたがるが、それはまったく違う。このようなものが明らかな規制の対象でないと言うなら、何が対象になるのか私にはわからない。

多くの批評家は、人の心を変えることについて、私がここで挙げたものよりも可能性の高い方法を提示するだろう。人々は結局のところ議論の力に屈しやすい。我々が説得力をもって論じれば、彼らも光を見ることはあり得るのだ、と。しかし、ここには時代遅れの知的優越感が透けて見え、上から目線の尊大さが感じられる。君の政治的見解は僕には腹立たしい、それは悪い、あるいは誤った、あるいは醜い根本的信念からきているようだ。こういうのは変えられるんだよ！　ぜひ僕の言語セラピーのプログラムを受けてくれ。我々が善意と共感と思いやりをもって、君の基本的世界観を批判することで、君の基盤《ベース》となる（卑しい《ベース》という意味も含めて）精神構造が崩れるはずだ。最終的に、君はもっと優れた人間、もっと寛容な人間に生まれ変わるんだよ！

　社会的管理であるとか「強制」であるとか言われようと、足場組みは実のところ個人とその精神の独立を、このマインドコントロールのプログラムよりずっと真剣に捉えている。そして、政治的信念の違いに関して言えば、独善性に陥ることはない。あなたの精神は変えられないと認めること、さらに重要だが、変えたいと思っていないと認めることは、侮辱ではなく賛辞と受け取られるべきだ。この認識論的野心の欠如に伴って、相手が何を信じていても気にしないし、どうして信じているのか理解したいと特に思っていないというのは、民主主義の結果にすぎない。すぐ近くで暮らさざるを得ない人たちのことを理解し、共感しなければならないなんて、言った人がいただろうか？　それは言うまでもなく、あまりに我々に求めすぎだ。ルームメートだって、長年連れ添った結婚相手だって、ときにはよく理解できないことがある。なのに、たまたま近くにいた人をもっとよく理解しろというのは、それこそおかしな話である。

　そして最後に、足場組みはまさにそれなのだ——外面的なガイドライン。我々がそれぞれの多様な、そしておそらく抵触し合う個人の目標を追求していきながらも、協力し、共存できるように助けるもの。これは私自身が以前、礼節をたとえば公共生活の美徳として擁護したことと完璧に一致する。[*28]その擁護の初期の段階では、私は「行動しようという気持ち」というアリストテレスの美徳の観念に依拠し、『ニコマコス倫理学』の中心議論に従って、社会的に肯定的な性格を育むためのキーとなる要素として模倣と習慣化を強調した。これは目標としてはまだ有効だが、理性の限界を認めるのと同様、美徳を育むことの限界も認めなければならないだろう。プログラム全体を動かすには、我々は礼節を重視する別の議論、もっとホッブズ的な議論を必要とする。ということで、無礼を集団的な行動の問題と位置づけ、その極端なものを避けるのが自分の利益になるという理由を加える。さらに、ここでの議論のように、言説の意味の外面的なメカニズムを重視する。礼節は規則として言い表わすことができるが、ゲーム空間に入るときに受け入れるべきものという意味で規則なのである——フェアに、正直にプレーするための規則。

もちろん、ここには限界もある。規制は高くつくことがあり、回避の手段を考え出すだけの知的能力や動機のない者によって操作されることが起こり得る。私の希望とは裏腹に、政治的なパネルディスカッションやツイッターについては、迅速な進展は望めないだろう。そう私は強く確信している。インターフェースのほかの中毒性メカニズムについても同じだ。しかし、足場組みの考えの導入は、それがどういう形を取ろうとも、実際には我々が次のような虚構を維持できないということを思い出させるのだ——感傷的な理由を動機として共感する市民という虚構。
気づかずにいられないのは、要するに、言論の足場組みに対する反応がそれ自体、ほぼ一様にイデオロギー絡みであり、ときには愉快なほどそうであるということだ。彼らは自分たちの偏見を通して見えるものしか見ておらず、その確信に根ざして反応している。至るところに国家による統制を見出したい人は、「制限」という観念を常に国家統制主義として読み取るのだが、これはすべてについて言えるわけではない——たとえば、列に並ぶ習慣などは、国も法律も必要としない。規制の侵略と、法が法を生むという（プラトンがすでに気づいていた）ジレンマが惨事とまではいかずとも麻痺の原因であると恐れる人にとっても同様だ。しかし、ここではそのようなプログラムは提案していない。言葉の適切な制限のほとんどは自分に課すものとなる。言論の自由に対する脅威とされるものは、選択的な誤読やコンテクストの故意の無視（すべて理に適った指摘を装っていながらも）を通して眠りから起こされた害獣のようなものである。皮肉にも、これらは私のような意見の者が闘うことになっている戦略自体の一部であるのだ。[*29]
実際、ポスト・トゥルースの時代に言論の自由を絶対的なものとして祀《まつ》る者たちが試みる表現には、一連の典型的な矛盾が見て取れる。一方で、彼らが危険に晒されていると認める見解はたいてい「不人気」であるとレッテルが貼られ、「政治的正しさ」を奉ずる者たちの標的であるとされる。他方、こうした同じ見解が多数派の人々が実際には信じていることであるとして讃えられる。たとえば、性による厳格な二項対立や自由市場を真に信じること、警察権力の支持などだ。こうした見解が本当に多数派なら、それを特別に保護する必要などまったくない。多数派でないなら、ほかの少数派の見解と同様、法律で同じように保護されるに値する――ただし、それは自由で民主的な国家のあり方に基づいての保護であり、つまりそれを批判するのは自由であるし、ヘイトに満ちたもの、有害なものであったら制限されることもある。局所的に、たとえばリベラルな大学のキャンパスにおいて不人気だというのは、ディナーパーティや地域の集会において顰蹙《ひんしゆく》を買うような（しかし法的には保護されている）見解を口にした場合と同様、ここでは問題にすべきではない。言論の自由とは、結果を考えずに好きなことを何でもしゃべっていい自由を意味しないし、いままでにも意味したことはない。

　言論を保護する権利重視の体制でさえ、一部の人々が想像しているような一律の保護を提供しているわけではない。アメリカ合衆国憲法の修正第一条は、たとえば民間企業や私立大学には当てはまらない――こうした機関は、それによってこうむる評判への影響を背負う覚悟さえあれば、極めて仰々しく言論を制限することもできる。[*30]一方、個人主義とそれに賦与された権利は讃えられるが、個人の決断が集産主義、進歩主義、あるいは社会主義的な方向に傾いたときには、未熟だ、欠陥がある、子供っぽいなどとして却下される。

同じような不平不満のこじつけた論理によって、思想の自由な表現は基本であり、犯すべからざるものとして賛美されるのに、ある特定の政策や行動に対する批判の表明は決まって個人的な侮辱、人格攻撃、冷笑などに晒される。思想自体に反論するのではなく、思想の持ち主が批判に晒されるのだ——「似非《えせ》教授」、「哲学者もどき」、「ペテン師」、「自惚《うぬぼ》れ屋」、「古臭い文化マルクス主義者」、そしてもちろん、もっともっとひどい表現で。事実が尊重されている世界で、実際に哲学の教授を務めている以上、本人の政治的見解がどうであれ（一応言っておくと、文化的であれ何であれ、マルクス主義者ではないが）、似非とかもどきといった悪口は撥《は》ねつけるべきだろう。自惚れ屋については——まあ、見る者によってはそう見えるかもしれない。いずれにせよ、こうした中傷は思想に対して思想で対抗できず、反射的に個人攻撃に訴える者たちの遠吠えである。市場の比喩はいずこへ——と思わずにいられないではないか？

こうしたことすべてが早晩に変わる可能性について、そこそこ悲観的な見方をとりあえず受け入れておこう。たった一人の人間が——現合衆国大統領であったとしても——このように広範に及ぶ混乱と非理性的な紛糾状態の原因であるはずがない。我々のいまの状況はこうだ。人々は真実ではないとわかっていること（あるいは、わかっているべきこと）を勝手にしゃべり、それでもほかの人々がそれを真実の主張として真剣に受け取っているふりをしているが、同時に同じ人々がある重要な意味においてそれを真実だと信じておらず、というのもそれを信じられないということが、彼らの政治的目的と怒りの感情にぴったり合っているからである。したがってこういう疑問が生じる。ここにおいて理性は何を与えられるのか？

足場組みの提案の利点は、これまで以上にここで明らかになるべきである。とりわけ、それが願望に基づく理性主義（我々は仲間たちが足場組みのシステムの利点に気づくくらい理性的であると考えている）と実用的な現実主義（我々は彼らがそれ以上に理性的であるとは想定していないし、想定する必要もない）との、筋の通った合体であるということだ。ここで仄めかした道徳的または政治的見解が、ほかより優れているという前提はない。ただ、言論の自由について、単に解禁によって許可が与えられたという以上に、理解している必要がある。そして、社会の団結が理性的かつ実行可能な目標だという前提に基づき、変化する精神に対して慎み深い態度を取るよう求められる——何が該当し何が該当しないか同意できる見込みを尊重するとともに、それに関して現実的な態度を取ること。

これが、簡単に言えば、ポスト・トゥルースの時代に相応しく刷新されたリベラリズムなのだ。それをネオ・ネオリベラリズムと呼んでもいいかもしれない。*31

理性のなかの理性

伝統的な科学の方法論が、言論の足場組みの理想的な形として（かなりの妥当性をもって）想定できるかもしれない。偏見や先入観に対して本質的な制限を与えること――反証や反復が可能かどうか、厳格に公平無私かどうか――に加えて、この方法は参加者へのゲートとしても働く。ゲームのルールを受け入れなかったら、あなたはゲームをする資格がない。もし研究をでっちあげたり、ルールをねじ曲げたりしたら、あなたは（そしてあなたの結果は）ゲームから追放される。あなたはこのゲームのルールをごまかすことはできないし、裏をかいたりもできない。そういうことをしようという試みは、もし（短期間だけ）うまくいったとしても、本質的には自動的に失格となる。そこには金銭授受といった腐敗はあり得ない――あなたは金で正当性を得ることはできないし、完全に富の力だけでゲームを自分のものにはできないのだ。

言説の別の形においては、こうした腐敗行為はすべて可能である。公共の言説というモノポリーのゲームで負けそうになっている人が、ゲームのなかで機能している伝統的な通貨ではなく、実世界の金銭の力で敵を圧倒しようと試みることは、常に可能性として開かれている。さらに、公共の言説にははっきりとしたゲートがない。プレーしたければ誰でもプレーできる。これはもちろん、大きな利点だが、虚偽の取引、詐欺、寄生して転覆させること、そのほか公共の場でお馴染みのあらゆる不正行為を確実に誘導することになる。最も危険なのは――そしてそもそも、そのためにこういう状態になっているのだが――こうした言説に対して外部から歯止めをかけるものがほとんどないということだ。事実であるという主張や論理的妥当性は、もちろん規範としての力を持つ。しかし、それはよくても薄弱で不安定であり、最悪の場合は危険な方向へと導きかねない。

科学的方法とそれ以外との相違を強調しすぎるのも問題だ。科学的言説にも、人間のあらゆる営みと同様、社会的かつ心理的な力が働いており、それが「純粋な」合理的結果に対して作用することも、我々はわかっている。また、分化した科学の専門分野内で対立が続いていることもわかっている——我々が望むように厳格な方法に則って結果が出ているとすれば、そんな対立はないはずなのだが。もちろん、これも単純に言説の実践における複雑さの本質を示している。論理学には、そのような論争はない。法律に関してはかなり多くの論争があり、たとえば文学批評や芸術理論となると、さらに多くある。圧倒的な正しさではなく、よき解釈が本質的な目標となるのだ。当然、解釈の領域で何が「よい」と見なされるかも、それ自体が解釈に対して開かれている。これが我々に望める最善であり、それだけでもかなり大変なことだ。しかし、この多様な論争でさえ、発問者たちが集まって議論する際に、最低でも、ある程度のよき信頼が必要である。

この公共の場における言説の最後の規準はもはや前提とはならないのだ——かつて本当に前提となり得たことがあったとしても。社会的かつ技術的要因は、人間社会の誕生と同じくらい古い問題を悪化させただけである——大規模な政治から、最小の家庭の論争やきょうだい間の対立に至る、すべてに見出される問題が悪化した。それがなぜかを理解する鍵は、我々の理性的な行動に関する科学的な研究が握っている。

二つの発見がここで重要となる。最初は、スタンフォード大学における一連の研究から導かれたもので、「事実」は精神を変える明確な原動力にはならないという、先述した主張の証拠を提供してくれる。人を騙すようないくつかの実験で、被験者は判断を求められる――たとえば、消防士の能力について――そして、そのあとで事実はこうだと説明される。彼らの最初の判断を覆しているもので、それを彼らは妥当であると認める。それでも被験者たちは、いままでは誤った判断だとわかっていることに頑固にしがみつくのだ。これは、確証バイアス（訳注：仮説や信念を検証する際にそれを支持する情報ばかりを集め、反証する情報を無視または集めようとしない傾向のこと）という馴染み深い概念の、一つの形と見ることもできる。しかし、最初の判断が正しいと確証されたら嬉しいという以上に、もっとはっきりとした影響を及ぼしている（ほかの研究では、大切にしてきた考えが「正しいと証明された」とき、人間の脳でエンドルフィンの急上昇が起こることが示されている）。こうしたケースにおいて、バイアスは確証のない判断のほうに傾くのだ。心理学者たちは、この人間に本来具《そな》わっているように見える傾向を呼ぶのに、「マイサイド・バイアス」という用語のほうを好んでいる――判断を一度下してしまったら、それがどんなに間違っていても、それに屈してしまうバイアスのことである。

第二の関連する科学的な主張は、合理性そのものの性質に関わる。我々は合理性を自分たちの最高の部分と評価する――少なくともプラトン以来、我々の精神の諸機能を測る基準においてはそうであったし、確かに西洋哲学の伝統の基盤であった。しかし、実のところ、我々の理性的な機能はかなり下劣である。理詰めの判断が感情的、心理的、生理的な力の影響を受ける――そして、こうした力は推論や妥当性の規則にまったく基盤がない――というだけでなく、合理性そのものが一種のドラッグであることも明らかにされている。人類が急速に社会化し、協力が社会的によいことと見なされるようになった時期に発展した我々の理性的な機能は、問題の解決と労働の配分については有能である。しかし、それは議論でも戦略でも相手を知恵で負かそうとするなど、勝利に過度に重きを置く傾向もある。

　それでもこの傾向は、一つのグループが別のグループと一緒に戦争に行く場合のように、必要な協力関係を作り出すかもしれない。戦時の差し迫った必要から導き出された賢明な判断など、いくつもの例が思い浮かぶだろう。しかしその結果として、我々は全般的に発問者の立場に弱点を見つけることには実に長《た》けているが、自分自身の見解に弱点を見出すことに関してはとても不器用である。また、グループ内の協力関係への違反には常に目を光らせている――たとえば、ただ乗り行為などだ。この最後の特徴は、ある辛辣な批評家によれば、「理性が進化して果たすようになった役割を反映している。それは、グループのほかのメンバーに騙されないようにすることである。小さな集団で狩猟と収集をしていた時代、我々の先祖はおもに自分の社会的立場を気にかけていた。そして、自分たちが命がけで狩猟をしているときに、洞穴で怠けている者がいないか確かめるようにしていた。明晰に理詰めの議論をすることには大した利点はなく、それよりも議論に勝つことで多くが得られたのだ」[*32]。あるいは、精神科医（ジャック・ゴーマン）と公衆衛生の専門家（娘のサラ・ゴーマン）の鋭い言葉では、「我々は間違っていても、自説を譲らないほうが気分がいい」[*33]。同じように、別の二人の研究者、スティーブン・スローマンとフィリップ・ファーンバックは言う。「通例、懸案事項に関して抱く強い感情は、深い理解からは出てこない」[*34]。それに加え、スローマンとファーンバックの発見は次のことを示している。完璧に孤立した状態で意見や主張を明晰に考え、理性的に行動する個人という根本的概念は、根拠のない哲学的幻想である、と。

それでは、解決策は何か？　心理学者のなかには、我々はもっと自分の無知の深さを意識すべきだと示唆する者たちがいる。特に、自分ではわかっていると思っているものに関して、いかに無知であるか。これに関して最近流行りの例は普通のトイレの機能についてであり、ほとんどの人がそれを正確に説明することができない。しかし、そのような知識がないからといって、何も恥ずかしいことはない。実際、ほかの人間によって考案された道具や技を――同じものを作ったり、説明することさえできなくても――使うことは、合理的な足場組みの完璧な例である。一人ひとりがモンキーレンチを作らなくてもよいからこそ、我々は効果的により多くのことを成し遂げられる。あるいは、トイレを、内燃エンジンを、文法を、議会制民主主義を、必要になるたびに作り出さなくてもよいからこそ。

だからこそ我々はこのことを前にして個人個人謙虚になるべきであるし、人間の協力の道具に関わることとなれば、自分で少し行動しようとする必要がある。それでも、ゴムにどのように電流を通すかや、酒をどのように醸造するかに関する無知を認める人に会うよりも、オバマケアや移民政策、比較宗教学、そしてグローバル経済の仕組みなどに関して無知を認める人に会う可能性のほうが低い。もっと謙虚になり、もっと勉強することは、常に我々の確信を戒めることになるはずだ。

しかし、そうなる可能性はどれくらいあるか？　規制は、自己動機づけと個人の規律が働かないときに働く足場である。理性自体は真実への王道というより、(最低限の) 協力を保証する足場だ。それを受け入れるなら、そしてさらに、理性が働くのはそれを支える社会的な因習とメカニズムがある場合だけだということを受け入れるなら、我々は二つの重要な目標を果たすことになるだろう。第一に、ポスト・トゥルースによる崩壊の恐れは現実であるが、まだ取り返しがつくのだと心に刻む——理性はまだ勝利できるのだということ。しかし第二に、これがどのように起きるのかについて適切な警戒心を抱き、確信の単純な表明が理性の領域内で果たす役割について注意を払うこと。

　我々は真実を権力に向かって語りかけるべきだと言う。しかし今日では、いかに権力側が真実に対して働きかけ、制限するかもまた認めなければならない。「理性のなかの理性」は、カントの「知恵を持て《サペレ・アウデ》」に対抗するためのスローガンではないが、無謀な理性的自己管理への大雑把な呼びかけが明らかに欠いている二つの長所を持っている。それは、あらゆる理性的な企ての社会的性質を否定するというより、当然のことと受け止める。我々は個々が理性のヒーローであるわけではないし、思想の市場における賢い消費者というわけでもない。また、「理性のなかの理性」が当然ながらしっかりと主張するのは、理性が唯一可能な反応であるということもある——嘘に対し、半分の真実に対し、挑発に対し、そして公共の場での偽りに対して。

　それは事実ではなく確信だ。しかし、私は敢《あ》えてそれが真実であると信じ、さらに私の信念がそれを可能にする助けになると敢えて信じる。「ものすごく多くの人々が、自分が考えていると思っているとき、実のところ彼らは偏見を並べ替えているだけなのである」。これは一世紀以上前のウィリアム・ジェイムズの言葉だ。我々はみなそういう人にならないように心がけなければならない。

　そして、本書のコンテクストを据えるこのセクションの最後を飾る皮肉として、ちょっとした事実に関する知識に目を向けていただきたい。この一節は、疲れを知らない選集編者であるクリフトン・ファディマン（訳注：アメリカの著述家、雑誌編集者で、テレビのトークショーなどにもよく出演した人物）が引用し、ジェイムズの言葉だとしているのだが、証拠がつきとめられていない。もちろん、そういうものだ！

注

＊1　David Remnick, "The Unwinding of Donald Trump," *New Yorker*, 17 July 2018, https://www.newyorker.com/news/daily-comment/the-unwinding-of-donald-trump

＊2　Sam Dolnick, "The Man Who Knew Too Little," *New York Times*, 10 March 2018, https://www.nytimes.com/2018/03/10/style/the-man-who-knew-too-little.html

＊3　Farhad Manjoo, "We Have Reached Peak Screen, Now Revolution Is in the Air," *New York Times*, 27 June 2018, https://www.nytimes.com/2018/06/27/technology/peak-screen-revolution.html

＊4　William Wan, "I Had a Bit of an App Addiction. Until These Apps Saved Me," *Washington Post*, 29 June 2018, https://www.washingtonpost.com/news/to-your-health/wp/2018/06/29/i-had-a-bit-of-an-app-addiction-until-these-apps-saved-me/

＊5　Jaron Lanier, *Ten Arguments for Deleting Your Social Media Accounts Right Now* (New York: Henry Holt, 2018). ジャロン・ラニアー『今すぐソーシャルメディアのアカウントを削除すべき10の理由』（大沢章子訳〔亜紀書房〕）。

＊6　Alice G. Walton, "Social Media May Be More Harmful to Girls Than Boys, Study Finds," *Forbes Magazine*, 20 March 2018, https://www.forbes.com/sites/alicegwalton/2018/03/20/social-media-may-be-more-psychologically-harmful-to-girls-than-boys/#79bqq8fq7e35

＊7　*I Feel Better after I Type to You* という本を参照のこと。これは、ＡＯＬ（訳注：アメリカの大手インターネットサービス会社であり、同社が提供するインターネット接続サービス・ポータルサイトのこと）のユーザー２３１８７４２５が二〇〇六年五月から入力してきた検索の質問を二五四ページにわたって、編集せずに集めた本である。ここにある詩的で、哀愁さえ帯びている文書は、かなりの悲しさを感じさせる。意味を求める検索が崩れて単なる検索となり、インターネット自体が一種の幽霊のような二人称の受け手（「あなた」）になる――ユーザー自身はユーザー番号でしか一般に知られていないのに。稼働するインターフェースのこの痛切な例を指摘してくれたことに対して、私はハディージャ・コクソンに感謝する。

＊8　Michael E. Gardiner, "The Multitude Strikes Back? Boredom in an Age of Semiocapitalism," *New Formations* 82 (2014): 29.

＊9　こうした誤った批判を無分別に展開している最近の者というと、『ニューヨーク・タイムズ』紙で書評家を務めていたミチコ・カクタニがいる。彼女の本、『真実の終わり』（岡崎玲子訳［集英社］）［Michiko Kakutani, *The Death of Truth: Notes on Falsehood in the Age of Trump* (New York: Tim Duggan Books, 2018)］は、ポストモダンやディコンストラクションの文学理論家たち（この両者は、浅薄な者たちによってしばしば混同されるが、まったく異なる哲学的研究である）がドナルド・トランプの存在を生んだと見なすものだ。ポストモダニズムは「私が四十年間読み、それについて書いてきた芸術的運動である」と彼女は主張する。もしそうだとしたら、その大部分の期間、彼女は眠っていたに違いない。というのも、彼女が考えるポストモダニズムは、ジャン＝

フランソワ・リオタールが『ポストモダンの条件』（小林康夫訳［書肆風の薔薇］）［Jean-Francois Lyotard, *The Postmodern Condition: A Report on Knowledge, trans. Geoff Bennington and Brian Massumi*（Minneapolis: University of Minnesota Press, 1984)］で主唱する「メタナラティブに対する（微妙な）懐疑心」とはほとんど関係のない無知な戯画だからである。この低レベルの説明に対しては、ジョナサン・フランゼンの次の不機嫌なコメントに同意せずにいられないだろう。二〇〇八年に彼はカクタニのことを「ニューヨーク市で一番の低能」と呼んだのである。

*10 これは次の記事に引用されている。Ron Suskind, "Faith, Certainty and the Presidency of George W. Bush," *New York Times Magazine*, 17 October 2004, https://www.nytimes.com/2004/10/17/magazine/faith-certainty-and-the-presidency-of-george-w-bush.html

*11 Robert Anderson, "The Rashomon Effect and Communication," *Canadian Journal of Communication* 41, no.2 (2016): 250-65.

*12 アドルノの『文化産業』には、アドルノがホルクハイマーと共作した金字塔的作品、『啓蒙の弁証法』（一九四四年）（徳永恂訳［岩波書店］）の頃の起源となった分析が含まれるが、その後に書かれたテレビのコメディや日光浴、ラジオ、レジャーの考え方についての詳細な——気難しくもあるが——攻撃もある。

*13 Roland Barthes, *Mythologies*, trans. Annette Lavers (New York: Farrar, Straus & Giroux, 1972), introduction.（訳注：引用部分の訳は、ロラン・バルト『現代社会の神話』（下澤和義訳［みすず書房］）によるが、文脈を考えて変更したところもある）

*14　ジャン・ボードリヤールの『シミュラークルとシミュレーション』（竹原あき子訳［法政大学出版局］）とギー・ドゥボールの『スペクタクルの社会』（木下誠訳［平凡社］）を比較されたし。

*15　たとえば、カール・シュミット『政治的なものの概念』（田中浩・原田武雄訳［未来社］）を参照のこと。

*16　Ian Brown, "An Encyclopedia Brown Story: Bound and Determined to Fight for the Facts in the Time of Trump," *Globe and Mail*, 7 July 2017, https://www.theglobeandmail.com/arts/books-and-media/an-encyclopedia-ian-brown-story/article35586033/

*17　Alasdair MacIntyre, *After Virtue: A Study in Moral Theory*, 2nd ed.（South Bend: Notre Dame University Press, 1984）.（アラスデア・マッキンタイア『美徳なき時代』篠崎榮訳［みすず書房］）

*18　このことを私は大学教員生活でずっと主張し続けてきたように感じるが、二つの概念が混じり合ってしまうのは明らかに根深い問題である。Kingwell, *A Civil Tongue: Justice, Dialogue and the Politics of Pluralism*（University Park, PA: Pennsylvania State University Press, 1995）を参照のこと。私は基本的な議論を後に繰り返すとき、無礼に関する逆の批評――集団行動の問題を扱う批評――をしている。Kingwell, "'Fuck You' and Other Salutations: Incivility as a Collective Action Problem," in *Civility in Politics and Education*, ed. Deborah Mower and Wade Robinson, 44-61（New York: Routledge, 2012）を参照のこと。

*19　たとえば、Jodi Dean, "Publicity's Secret," *Political Theory* 29, no.5（October 2001）: 624-50 を

参照されたし。

＊20　心理学者、ユーゴー・メルシエとダン・スペルベルの最近の研究は、人の精神状態に影響を与える点で、事実に基づいた議論がいかに弱いかを追究している。理性を擁護する議論の多くに反論している彼らの共著、『理性の謎』（Hugo Mercier & Dan Sperber, *The Enigma of Reason* [Cambridge, MA: Harvard University Press, 2016]）を参照されたし。この問題にわかりやすく取り組んでいるのは、Elizabeth Kolbert, "Why Facts Don't Change Our Minds," *New Yorker*, 27 February 2017, https://www.newyorker.com/magazine/2017/02/27/why-facts-dont-change-our-minds この問題については第2部の最後のセクションでもう少し論じたい。

＊21　私は足場組みの提案をグローブ＆メール紙の読者投書欄で行った。"Don't Bother Trying to Understand 'the Other Side,'" *Globe and Mail*, 29 August 2017. それに対する多数の反論のなかには、同僚の哲学者、ファン・パブロ・ベルムデス＝レイとジョゼフ・ヒースからのものもあった。特に、私よりもかなり合理性について楽観的なHeath, *Enlightenment 2.0* (New York: Harper 2014) を参照していただきたい。私は中毒とソーシャルメディアの関係について、Kingwell, "Boredom, Subjectivity, and the Interface," *Social Media and Your Brain*, ed. Carlos Prado, 3-25 (Santa Barbara, CA: Praeger, 2016) でも追究しており、その記事の一部を修正して本書で使っている。もちろん、ソーシャルメディアに対する規制はすでに行われていて、足場組みによる制限で規制を拡大しようという提案は、我々が自己の中毒的行動を管理しようとして採用するほかのメカニズムと何ら変わりないのである。

＊22　Kingwell, “Mikhail Bakunin,” HiLoBrow, 2014, http://hilobrow.com/2014/05/30/mikhail-bakunin/

＊23　過熱したレスポンスのなかには、私が自分で思っているよりもはるかに抑圧的な動機を私の意見のなかに察知したものがあったが、そのうちの一つが次のものである。Burt Schoeppe, “University of Toronto Progressive Professor Wants to Limit Free Speech,” *Postmillennial*, 30 August 2017, https://thepostmillenial.com/ university-toronto-progressive-professor-wants-limit-free-speech/　一カ所引用すると、「この記事でキングウェルは新たな裏切り行為をやってのけた。理性から背を向け、思想の抑圧へと走ったのである。かつて我々はそれこそが民主主義の唯一の敵と考えていたのに」。私の友人がそれに反応して言ったように、「ワオ！　君は忙しかったんだね」。それから先の詳細については、このあとの注釈でも見ることができる。

＊24　Amy Davidson Sorkin, “The Anatomy of a Trump Twitter Rant: From Scotland Yard to ‘Chain Migration,’” *New Yorker*, 15 September 2017, https://www.newyorker.com/news/amy-davidson-sorkin/the-anatomy-of-a-trump-twitter-rant-from-scotland-yard-to-chain-migration

＊25　たとえば、次の本を参照していただきたい。Stanley Fish, *There's No Such Thing as Free Speech . . . And It's a Good Thing, Too* (New York: Oxford University Press, 1994). フィッシュがここで論じているように、「反ハラスメントの規則は言論を抑圧することになると言う人がいたら——必ずそういう人はいるのだが——こう応えればよい。言論とは、発言されていないこと、すでに沈黙させられてしまったことを背景にしてのみ、意味を成すのである、と。だから唯一の問い

は、どの発言を抑制すべきかという政治的なものしかなく、すべてを考慮に入れると、〝ニガー〟〝カント〟〝カイク〟〝ファゴット〟といったような言葉は抑制するのがよいと思える。そして誰かが〝言論の自由の原則はどうなる？〟と言ったら、こう言えばよい。言論の自由の原則は、まずい議論の一要素としてしか存在しない。そうした原則は綿密な調査に耐えられない動機を隠すために持ち出されるのである、と」。

最近の議論、特に大学のキャンパス内でのものを概観するなら、次を参照のこと。Ira Wells, "The Age of Offence," *Literary Review of Canada* (April 2017), http://reviewcanada.ca/magazine/2017/04/the-age-of-offence/

＊26　心理学の言説において共感の場を一般に広めた心理学者が大文字のBの退屈（Boring）氏であるというのは、人生の洒落た皮肉の一つである――エドウィン・G・ボーリングだ。Khadija Coxon, "Reality for the People," in *America's Post-Truth Phenomenon: When Feelings and Opinions Trump Facts and Evidence*, ed. Carlos Prado, 117-20 (Santa Barbara, CA: Praeger, 2018) を参照のこと。

＊27　私は以下の論文で、人間精神の変化に関するわずかな見込みを追究した。Kingwell, "It's Not Just a Good Idea, It's Law: Rationality, Force, and Changing Minds," in *Legal Violence and the Limits of the Law*, ed. Joshua Nichols and Amy Swiffen, 1-16 (new York: Routledge, 2016). これは Kingwell, "Changing Minds: The Labyrinth of Decision," *Primer Stories* 4, no.1 (29 August 2016), http://www.primerstories.com/4/changingminds に基づいている。

一方、表現の自由によって「思想の市場」ができるという、多くの人に愛される考えは、どんな市場と同じように、失敗に終わる運命にある。一九八四年の金字塔的記事で、法学者のスタンリー・イングバーはそれを「正当化の神話」と呼んだ。Stanley Ingber, "The Marketplace of Ideas: A Legitimizing Myth," *Duke Law Journal*, February 1984, 1-91 を参照のこと。最近のコメンテーターたちの指摘では、このメタファーが理詰めの言説よりも挑発に重きを置いており、正直なトレーダーたちに代わって、キャス・サスティーンが「分極化の企業家」と呼ぶ者たちを登場させているという。簡単な概説は次の記事で見つかるだろう。Aaron R. Hanlon, "The Myth of the 'Marketplace of Ideas' on Campus," *New Republic*, 6 March 2017, https://newrepublic.com/article/141150/myth-marketplace-ideas-campus-charles-murray-milo-yiannopoulos このメタファーの空虚さを論じた最近のものには、次の記事もある。David Shih, "Hate Speech and the Misnomer of the 'Marketplace of Ideas,'" NPR, 3 May 2017, http://www.npr.org/sections/codeswitch/2017/05/03/483264173/hate-speech-and-the-misnomer-of-the-marketplace-of-ideas

*28 Kingwell, *Civil Tongue*.

*29 たとえば、私の最初の議論に対する二つの憤激した反応を見ていただきたい。どちらも、わざと強い表現を使った七〇〇語の論文のなかからたった一つのフレーズに焦点を当てている。Ezra Levant, "'We Could Even Ban Media Panel Discussions': Globe & Mail Columnist Calls for Censorship," Rebel, 1 September 2017, https://www.therebel.media/globe_mail_columnist_calls_for_censorship; Gerry Bowler, "Putting a Muzzle on Those You Disagree With," Troy Media, 1

September 2017, http://troymedia.com/2017/09/01/putting-a-muzzle-on-those-you-disagree-with/
　これらのメディア・コメンテーターたちが特に心配しているのは、メディアのパネルディスカッションが人々によって（国家によってではなく）理性の轡《くつわ》をはめられてしまうかもしれないという考えのようだ――まるでパネルディスカッションが理性的な議論を代表しているかのように。「友人たち、彼らはあなたたちを嫌っているぞ」とレヴァントの記事は締めくくっている。「そして、あなたたちを黙らせようとしている」。哲学者から隠れろ、友人たち！　やつは轡を持っている！
　一見、もっと考慮された反応は『オルタナティブ・ライト』（「オルト・ライトの土台となったサイト」として誇らしげに挙げられている）に投稿されたもので、哲学的な道理を説こうとしてはいるが、議論の代わりに侮辱に訴える誘惑に抗しきれず、次のような言葉を使っている――「ペテン」、「あまりに単純でニヒリスティック」、「幼稚」、「知恵が足りない」、そして（これに反して）「ハリー・ポッターを読む猫好き婦人がスレート・コム（訳注：アメリカの時事問題、政治、文化を取り上げたオンラインマガジン）に書くようなもの」――それがどういう意味であれ。「知恵が足りない」に関しては、同じような言葉が延々と並んでいる。彼らの長談義には、最初の議論をわざと誤解するという、いまではすっかりお馴染みとなった手法が見られ、「ポストモダン」で「共産主義」の思想警察からターゲットにされていると嘆くような調子がある。
　また、私の立場について体系的に誤読しているところがある――道徳について（私は客観主義者ではない）、イデオロギーについて（これを解決済みのものとは考えておらず、そのまったく逆である）、そして欲望について（もちろん、欲望はしばしば非理性的であり、それこそが私の要点である）。ともかく、核心はこうだ。こうした人々はまるで——そして私がまさに論じてきたように——実際に自分を抑えられないように見える。興味がおありなら、次の記事を読んでいただきたい。Ryan Andrews, "Free Speech Is Violence, and Its Might Makes Right," *Alternative Right*, 5 September 2017, https://alternativeright.blog/2017/09/05/free-speech-is-violence-and-its-might-makes-right/

＊30　たとえば、「修正第一条はあなたが考えているような権利を保証しない」という記事を参照のこと。A. J. Willingham, "The First Amendment Doesn't Guarantee You the Rights You Think It Does," CNN.com, 8 August 2017, http://www.cnn.com/2017/04/27/politics/first-amendment-explainer-trnd/index.html

＊31　私のことを空想好きと言ってくれて構わないが、私は一九九九年の認識論的アクション・スリラー映画、『マトリックス』のことをここで思い浮かべずにいられない。キアヌ・リーヴス演じる、幻想を破壊する電脳空間の救世主がネオと呼ばれているのだ。私はこのセクションを「赤い丸薬を飲め」（訳注：映画『マトリックス』より、この世界が幻想によるものだという事実を知らせるのが赤い丸薬、幸せな幻想のなかにとどまるのが青い丸薬である）で終わらせてもよかったのだが、レディット関係の怒れる男権活動家がこのイメージを勝手に使ったという悲しい事実のためにやめておいた。こうしたジェンダー理論の天才たち（訳注：右翼の男性活動家を皮肉って言っている）は、女性たちが尊敬と考慮を求めていると言いながら（青い丸薬理論）、本当に求めているのは支配と服従であると考える（赤い丸薬理論）。これに関する優れた批評的概説が次の記事で見つけら

れるはずだ。Rebecca Reid, "Welcome to the Red Pill: The Angry Men's Rights Group That 'Knows What Women Want,'" *Telegraph*, 13 November 2015, https://www.telegraph.co.uk/women/life/red-pill-mens-rights-anti-feminist-group-who-know-what-women-want/ より最近では、"incel"（不本意の禁欲主義者）運動と、心理学者のジョーダン・ピーターソンとその弟子たちのような人々によって、こうした主張が受け継がれている。ならいいだろう、これ以上言わなくても！

＊32　Elizabeth Kolbert, "Why Facts Don't Change Our Minds." ユーゴー・メルシエとダン・スペルベルの議論を要約したものである（注20参照）。

＊33　Jack Gorman and Sara Gorman, *Denying the Grave: Why We Ignore the Facts That Will Save Us* (New York: Oxford University Press, 2017) これは Kolbert, "Why Facts Don't Change Our Minds" からの孫引きである。

＊34　Steven Sloman and Philip Fernbach, *The Knowledge Illusion: Why We Never Think Alone* (New York: Riverhead, 2017)（スティーブン・スローマン、フィリップ・ファーンバック『知ってるつもり——無知の科学』土方奈美訳［早川書房］）。Kolbert, "Why Facts Don't Change Our Minds" からの孫引きである。

第3部　危機

—気分《ムード》の報告—

絶望

それからニーチェの永劫《えいごう》回帰って理論がある。
我々はいま生きている人生をまったく同じように再び生きることになり、
それを永遠に繰り返すって言うんだ。すごいね。
ということは、僕はまたアイススケートショーのあいだ
ずっと座ってなきゃいけなくなる。そんな価値はない。
それからフロイトっていう、これまたペシミストがいる。
僕は何年も精神分析を受けたけど、何も起きなかった。
僕の哀れな分析医はすごく意気消沈して、
ついに診察室にサラダバーをつけることにしたんだ。

ウッディ・アレン『ハンナとその姉妹』
(1986年)

退屈を経験するなかでの絶望という繰り返されるテーマを、我々はどうやって真剣に受け止めるのだろう？　このセクションでは、私は現代の退屈の状況をさらに明らかにするような形で、この問題を追究したいと思う。つまり、特定の否定的な経験と個人との関係や、それを和らげる――しばしばメディアを利用した――試みだけでなく、退屈という感情を生む構造的社会条件をさらに明らかにするように分析したい。私が言いたいのは、退屈がどこかに隠れている、あるいは差し迫っているという小さなサイクルが常に更新されており、それに立ち向かうために、あるいは防ぐために、インターフェースに頼る状態のことである。

しかしそのこと以上に、重要な事実がある。テクノロジーへの没入のあらゆる面がそうであるように、インターフェースは決して世界の中立的な部分ではない。そのまったく逆で、中立的だとされているものは、より大きな自己隠蔽の企《たくら》みの一部であり、それは虚偽意識（マルクス）と文化ヘゲモニー（グラムシ）といった標準的な形のイデオロギーの（自己）欺瞞と密接な関係を持つのである。そして、与えられたメディアや道具がその設計効果の特徴において無垢ではないのと同様に、インターフェースは特定の傾向を持った人間環境の、つまりサイボーグ的な生活世界の一面なのだ。我々は無用な形而上学的リスクを承知の上で、こうした傾向を

「欲望」と名づける――インターフェースは実際に欲求を感じないのだが。しかし、すでに見てきたように、インターフェースが支える複雑な関係は本当に我々の欲望に作用し、ある意味ではそれを形成する。インターフェースは与えられたメディアに頼って、我々がこれまでにやってきたようにやり続けることをある意味「望む」のだ。それは一つだけ顕著な特徴を持つアルゴリズム。さまざまな形に作られてはいるが、根本的には常に同じ――つまり、我々がそれを生かし続けなければならないのである。

　これだけでもかなりショッキングであろう――もし我々が神経を集中させ、インターフェースの基本構造を暴露できるのであれば。エナジャイザーのCMに出てくるウサギの玩具のように、永遠に続くように思われる動作は――実際には手で握っているスクリーンにだいたい限定されているのだが――ほとんど不気味というか、恐ろしいほどである。映画『ポイント・ブランク』（一九九七年）では、プロの殺し屋（ジョン・キューザック）が恐れおののくセラピスト（アラン・アーキン）にこう告白する。自分は「テレビに出てくる玩具のウサギ」、あの「乾電池のウサギ」の悪夢を繰り返し見るのだ、と。セラピストはゾッとした様子で言う。「そいつは実に憂鬱な夢だね」。プロの殺し屋、マーティンは、それはなぜかと訊ねる。「マーティン、そいつはひどい夢だよ！　あのウサギの夢を見るなんて、気が滅入るような話だ。あれには脳がないんだよ。血もないし、アニマもない！　ただ、あの意味のないシンバルをずっと叩き続けるんだ、ずっとずっと！」。ある意味、これがインターフェースなのだが、実のところインターフェースのほうが悪い。シンバルを打ち続けるためのエネルギーを乾電池がウサギに永遠に与えているという触れ込みにもかかわらず、それはいずれエネルギーが切れて停止する。フェイスブックのスクロールやスワイプはそうではない。エネルギーを与えている乾電池は我々自身であり、配信《フィード》の原料を与えている資源は世界なのである。

ウサギの玩具と人間とを比べたとき、人間側にはアニマが想定されているわけだが、第2部のエピグラフはこの関係全体の機械的な性質がアニマを冒し始めたときに何が起こるかのヒントを与えている。ディーの小説、『千の許し』では、有害なほどの退屈が同じようにセラピーのシーンで告白される。マンハッタンの弁護士であるベンとその配偶者が、明らかに愛のない結婚生活について評価しようとするシーンだ。妻は自分が知性と野心をかなり犠牲にして、この都会の稼ぎ手のために郊外の家庭生活を与えてきたと想像している。一方、夫のほうは、後期資本主義のまさに同じ構造に自分が消費されているのを、困惑と恐怖をもって眺めている。ほかの男だったら、稼いでは消費するというネオリベラル的な規範の犠牲者として自分のことを考えたかもしれない——金と資産と資格を得られるだけ得るというブルドーザー的な論理。しかしベンにはそのような理論を使う素地がない。その代わり、彼はずっと若い仕事仲間と不器用にも深い関係になろうとする。これは一つの意味では成就しない——彼女がホテルの部屋で彼のために服を脱ぐにもかかわらず、セックスには至らない――のだが、別の意味では決定的である。ベンは存在に気づいていなかったボーイフレンドに待ち伏せされ、さんざん殴られる。しかも、そのあとで酔っ払い運転をし、交通事故を起こして、キャリアと結婚を台無しにするのである。

一方、ウッディ・アレンの演技はそのすべてがセラピーのセッションだ。この例で、彼の演じるキャラクターは片耳の聴力を突如失うのだが、それが脳腫瘍のせいではないということを知る――彼らしいパラノイア的な憶測だったのだ。そのあと通りを歩いていて、彼はニーチェとフロイトの幽霊を、そして実際のセラピーのセッションの記憶を呼び覚まし、日常生活の残酷な面を強調しようとする。ここに本を読めて考えられる人間がいる！ それなのに、そこには助けとなるものがない――永劫回帰はニーチェが意図した「運命愛」（訳注：この世のあるがままの運命を受け入れ、そしてそれを愛するということ）の試金石ではなく、これまた退屈に至る一つの道なのだ。フロイトのペシミズム（と、ここで呼ばれているもの）は、人間の状態に関する洞察の源ではなく、何も起こらずに容赦なく過ぎていく時間の一つのあり方にすぎないと明らかにされる。サラダバーは――一九八〇年代の中流階級の幸せをそれ以上にはっきりと示しているものはない――必死の解決策だが、それはセラピストのためのものであり、患者のためのものではない！ 退屈はその暗い翼を全体に広げ、倦怠の影を投げかけて、そこには打開のヒントはまったくない。二〇歳年下の仕事仲間といちゃつくとか、ウェストサイド・ハイウェイを車で走り回りながらウォッカを一瓶飲むといった、混乱した愚かな行動に訴えることさえない。

ほかの突破口はあるかもしれない。ウッディ・アレンが演じるキャラクターが（いかにも彼の映画らしく）ボイスオーバーで発する内的独白で——特にこの映画はかなり嘲笑されてきた映画的仕掛けに満ちているのだが——考察が続く。「たぶん詩人たちは正しい。たぶん答えは愛しかない」。この「しか」はうまいところに置かれている。というのも、解決法について言うように、愛こそが答えだと示唆するのを控えているからである。結局のところ、これは確かに愛だけでは充分でないケースだ。しかし、答えとしては、おそらく無よりはよい。ともかく、哲学とセラピーの助けを果てしなく求め続けるよりはましである——こうした遍歴は、憐れな男が——あるいは、ともかくウッディ・アレンのタイプの男が——悟りに近づくようなことは何も与えない——哲学とセラピーの助けなしに、あるいはその助けにもかかわらず、彼が気づく以上のことは何も。

まあ、おそらくそうだろう。この質問にはあとで回帰しよう——永劫にではなくても、少なくともう一度、我々が一緒に過ごす時間が終わる前に。

構造的絶望

いまは少し遅い。いまはいつでも少し遅い。それが我々のいまの意味するものだ。このテキストの残りの部分で、そして我々が一緒に過ごす時間で、私はある複雑な関係により特化して焦点を当てたい。退屈に関する研究、あるいは分類法の二つの様相のあいだの複雑な関係である。一つは、退屈は個人の本当の絶望の様相を描き出すというショーペンハウアーの主張。もう一つは、退屈の構造は社会的なもので、単純に心理的なものではないというアドルノの主張。ここでの私の目的は構造的絶望の光景を素描することだ。この絶望のおもな兆候は、個人が退屈を経験し、テクノロジーを通して必死にそれを和らげようとする、二つのステップである。といっても、「単なる」兆候ではない。というのも、実のところ、この空虚な日常の二つのステップ以上に、我々のいまの生き方に関する根深い腐敗を厳しく示しているものはないからだ。

二〇一七年の秋、私はオタワのカナダ科学政策カンファレンスに参加した。これは世界じゅうの大都市やカンファレンスセンターで毎年開かれているオタクの祭典。その趣旨は、公共政策の領域に影響を及ぼす科学の研究に関して、その本質を議論することである。参加者はあなた方が予期するとおりの人たちだ——公務員、NGO職員、大学院生、政策の専門家、そしてもちろん、現役の科学者たち。その当時できたばかりのリベラルなカナダ政府が科学者たちに対する緘口令《かんこうれい》を取り消すと宣言したところだったので——これはスティーヴン・ハーパーの保守党政権によって実行されてきた政策だったが、ハーパーにとって科学とは、社会的な意味合いのまったくない、無菌状態に封印された箱のなかの行為だったに違いない——このカンファレンスが繰り返されることは、科学の成果を守る者たちを少しだけリラックスさせてやる機会だという感覚があった。実際、その期待は報いられた。

新しく任命されたカナダ総督、つまりイギリス女王を代表する者であり、カナダの議会制民主主義における名ばかりの国家元首が、基調講演をした。総督のジュリー・ペイエットは元宇宙飛行士で、科学者として著名な女性である。彼女はこの機会に臆することなく、自分が社会的かつ政治的無知の勢力と考えるものに対して攻撃を加えた。科学はそれに対して闘わなければならないのだ。この広範囲に及ぶスピーチで、彼女が非難した対象は気候変動を否定する者たち、神が世界を創造したと考える者たち、占星術を信じる者たち、そしてさまざまなフェイクニュースやオルタナティブな事実を調達する者たちなどであった。ペイエットはこのようにあからさまに慣習を破ったことで厳しい非難を受けた。明らかに多くの人たちが、総督など名前だけの役職に就いている者は活動をテープカットやクッキーをこねることに限るべきだと考えているようだ——神様、こういう役職の者が見解を持ったり議論したりしませんように——おそらく、あることを禁じたり許したりする神はいないという見解も含めて。私もその一人である少数派の意見は、ペイエットはほかの公人たちと同じように、自分の見解を自由に述べるべきだというものだ——こういう見解が役職の義務を果たす能力を損なわない限りにおいて。どうしてそうであってはいけない《ホワイ・ザ・ヘル・ナット》？（ところで、地獄《ヘル》もない）。

　私自身は「ポスト・トゥルースの時代の信頼と専門知識」というセッションに参加した。これは、ポスト・トゥルースという観念が——『オックスフォード英語辞典』という語用の熱心な報告者にして権威でもあろうとしている書物によって、二〇一六年を代表する言葉となったが——みなの心に刻まれていたときだけに、先の議論とわずかながらも関連があったからだ。このセッションでは、いくつかの悲しいが驚くにあたらない事実が注目された。たとえば、ソーシャルメディアの出現、フェイクニュースという集中攻撃などに伴い、専門知識の伝統的な出所の多くが——政府や主流メディアのことだが——いまは積極的な不信に晒されている。ビジネスとNGOも影響力を失った。超高給取りである企業のCEOたちも信用されていないが、それは大学の研究者や教育者たちも同じだ（悲しい！）。一方、信任状や推薦状を持つ見知らぬ人よりも、仲間であることが価値を持つ。

　こうした事実は、エデルマン・トラストバロメーターが量化しており、すでに我々の多くがそうではないかと思っていたことを統計的に確証してくれる。しかし一つの事実は、私には奇妙なことのように感じられた。経済のなかで最も信用されている分野は——外食産業（六六パーセント）、消費者物品（六三パーセント）、そして蔑まれている金融の世界（五四パーセント）よりもはるかに上だったのは――テクノロジーなのである。アンケートに答えた人の七六パーセントが、テクノロジーは「正しいことをしている」と答えているのだ。

この最後の結果は、客観的に見て気味が悪いと我々は認めなければならない。シリコンバレーの自称神々は、民主主義の制約に対する軽蔑の念を隠そうともしてこなかった。彼らは民衆を潜在的消費者として尊んでいるかもしれないが――次の新製品発表会を大々的に行うときの、ほんの一部の市場として――これは個人が金銭の動きの一地点としてしか見られていないということであり、権利を持つ者、尊敬に値する存在として見られているわけではない。そう、テクノロジーの世界の超人的自由擁護者たち、普通選挙に反対するピーター・ティール（訳注：ペイパルの創業者）や回りくどい表現の達人であるティム・オライリー（訳注：オライリーメディアの創始者）のような人たちが、神の言葉を語る者として支持されているのだ。テクノロジーによるユートピアを夢想する彼らの未来主義は社会的には排他的であり、男性支配によるものであり、環境問題や政治に関する犠牲に意図的に目を瞑《つぶ》っているにもかかわらず、こうした結果が出ているのである。あなたがその内部にいるのなら、疑いようもなく、とてもいい世界であろう。しかし地球の大多数の人々にとって、足枷《あしかせ》の外れた「刷新」のポストナショナル体制は、規制の虜や税金逃れなどを伴う、生きる悪夢である。そしてそれは未来ではなく、現在なのだ。

それでは、こうした超人的説教師たちへの信頼の理由は何だろうか？　幸運な少数者に永遠の生を約束し、それ以外の我々には気晴らしになるスマートフォンのアプリを提供してくれる者たちをどうして信用してしまうのか？　それは、オライリーが「魔法のようなユーザー体験」と呼びたがるものに対する驚きと、憧れである贅沢の論理とが入り混じり、力を発揮しているからである。こうして我々は、彼らの製品が巧みに約束するもののために、過重労働やセクシャルハラスメントを見逃してしまう。実際、騙されたがる気持ちと刺激の混合こそ、「ネオリベラル的退屈」という観念が意味するものなのである。刺激の膏薬《こうやく》をつけてしまうほうがずっと楽なのに、どうしてあなたの選んだデバイスまたはプラットフォームの出所やコストについて適正性評価手続きなどするだろうか？　結局のところ、こうした製品は我々のためにある。それが約束するのは幸福であり、日々のアンニュイからの解放なのだ。

テクノロジーへの信頼が、心に訴える力がここに見えるはずだ。簡単に言えば、デバイスによって可能になった安楽――スティーブ・ジョブズが天に旅立ったとき、アップルストアの前に花を置いた人々は、それに動かされたのである。しかし、安楽は常に代償を伴うものであり、輝くスクリーンの背後にその代償を隠したところで、現実は変わらない。テクノロジーは経済の分野というより環境であり、空気と同じようにどこにでも、すみずみまで行き渡っている。『スター・ウォーズ』のオビ＝ワン・ケノービが一九七七年頃に言った言葉を言い換えれば、それは我々を取り囲み、我々に浸透する。しかしフォースとは違って、それは専用のフォーマットで行われ、そのフォーマットは絶え間ないアップグレードを要求する。さらにメディアのプラットフォームと検索エンジンは公共のもののように見えるが、実のところは民間企業であり、彼らは飢えた株主たちを食わせなければならない。

でも、待ってくれ、とあなたは言う。おもちゃだよ、おもちゃ！　これは片手に収まるキャンディランド（訳注：子供向けのボードゲーム）なんだ！　誰が愛さずにいられるだろう？　実のところ、愛さずにいられる人はたくさんいる。しかし、幻滅し、ネットから切り離された人々なので、無視されがちである。彼らはソーシャルメディアの外見上の民主化が誤った意識をもたらしていること、そしてスマートフォンによって拡張された意識の解放が、実は我々を緩やかに奴隷化していることに気づいたのだ。我々の日々のゾンビ化を推進している者たちを信用するなんてとんでもない、それどころか、彼らに鋭い批判を加えるべきだ――そう考えるのに、ラッダイトになる必要はない。この辛い状況に敢然と立ち向かい、理想的には、これが祝福を受けた幸運な者たちだけのオプションなのだということに気づいて、ネオ・ラッダイトになろうという誘惑を感じる者もいるかもしれない。シリコンバレーの狡猾な魔法は、抑圧と特権というシニカルな現実を隠す。これは長期間にわたる詐欺であり、暴露されてしかるべきなのだ。テクノロジー革命の初期段階で、ニール・スティーヴンスンやウィリアム・ギブスンといった実際の幻視者たちが、公平に分配されていない未来がどうなるかを示していた。貧困や苦悩は幻想でもないし、システムの欠陥でもない。それは本来具わっている論理だ。政府とメディアは不完全かもしれないが、少なくとも市民に奉仕していると主張する。テクノロジーの安っぽい神たちはそれさえしない。どうして我々は彼らに敬意を表わさなければならないのか――ましてや金や忠誠までも捧《ささ》げなければならないのか？　私を信じてくれ、抵抗は無益ではない。いや、それよりも、自分を信じなさい。

この問題と本書の研究との関連性は、第1部で説明したことから明らかであるべきなのだが、それを納得していただくために、最近の特殊な例を示したい。テクノロジーの分野はインターフェースの分配者であると同時に擁護者である。彼らは利益を得るために、そして自分たちがすごいという並外れた妄想を持ち続けるために、我々が中毒のような愛着を示すことに依存する。もしスクリーン製品の市場が存在せず、アップグレードの心配という形で、こんなに確実に更新を余儀なくされるものでなかったなら、この分野に富が蓄積されることはなく、したがって同じくらい確実にその富を保管できる場所を国境の外に求める傾向もなかったであろう。自己権力の拡大と導師《グル》のような地位というのが、富によって与えられた地位から生まれ出るものとして、それに続く。ある点で優位に立つと――どんなに実体がなく、妥当でなくても――別のところでの優位も保証するというサイクルである。これは過度の権利を求める病気の一つの変種――（たとえば）家族が裕福だと、その恩恵を受けている者が自分の政治的な、あるいは（ギャーッ！）美的な見解は特別な尊敬を払われるべきだと思い込むようなものだ。富を相続したのではなく、自分で稼いだ場合に微妙なのは、どのような市場原理に基づいて富が作られたかを曖昧にしてしまうことにある――ものを作る人々は、生まれつき金持ちの人たち以上に、それによる恩恵は正当に得たものだと信じる。生まれついての金持ちは最初から三塁にいるのに、自分は三塁打を打ったと思っているのだ。アイン・ランド（訳注：一九〇五～八二。ソ連生まれのアメリカの小説家）はこうした特権を次のように言う――あなたが本当に三塁打を打ったのなら、その恩恵は生得権としてすべてあなたのものである。とはいえ、お金を出す顧客がいなければ、報酬もない。眼球と指によるスワイプがなければ、発明品には何も意味がない。

インターフェース経済の基盤がデバイスではなく、それを煽る欲望でもない理由はこれである。まるで新しいスマートフォンのモデルがマセラッティかロレックスの新製品の仲間であるかのように、広告や新製品発表会の物語がその特徴や効率性を強調するにもかかわらず、そうなのだ。実際、ほかの最高級品との類似は錯覚である。贅沢品は、物質的なものであれば、たった一つのものを宣伝する――それ自体だ（もっと限定すれば、こうした製品を持てる者としてあなたのことを宣伝する）。インターフェースが促進する製品は贅沢品の地位を得ようとしていないふりをし、ゆえに見かけ上は利点も魅力も民主化する。なぜなら、その隠れた動力は可能性として無限なのだ。つまり、動力はプラットフォームが提供できるすべての広告であり、もっと重要なのは、プラットフォームが第三者に伝達できる消費者のデータなのである。

その格好の例がソーシャルメディアの巨人、フェイスブックだ。その物語はよく知られているので、ここで詳しく説明する必要はないだろう——想像し得る限り最も刺激的な映画、『ソーシャル・ネットワーク』(二〇一〇年)で詳述され、それから丸ごと民話のようなものに取り込まれた。我々はいま、この会社が大学生のデート援助サイトとして生まれ、数十億ドル規模のオンラインニュースフィード、フレンド連合体《ネクサス》、そして地球全体のコミュニケーション装置に発展したことを知っている。公平を期すなら、本物のザッカーバーグは、映画でジェシー・アイゼンバーグが演じた彼の戯画よりも、ずっと好感度の高い人物のようである——もっとも、ずっと漫画っぽい人物でもあるが(二〇一八年、彼はホロコーストを否定する投稿をサイトから削らない理由について、「異なる人々が間違った受け止め方をすることはあるものだから」と述べているが、こういう言論の自由の考え方を多くの批評家たちは緩すぎると捉えた)[*1]。株式公開を巧みに遅らせ、会社の価値と利益を高めてから、二〇一二年に株式を最初に公開したあと、同社の資産価値は五〇〇〇億ドルにまで達し、一向に弱まる兆しはなかった——ただし、フェイスブックがイギリスのデータマイニング会社であるケンブリッジ・アナリティカと提携し、八七〇〇万人ものユーザーのデータを使って選挙に影響を与えていたことが明るみに出たとき、かなりの落ち込みはあったが。この会社の価値が初期の頃に膨れ上がったことは、そのプラットフォームが無料で提供されていることを考えると、信じがたく思えるかもしれない。しかし、この風船を膨らませるものが、実際にはほかの企業から注ぎ込まれる収益であるということを思い出してほしい。彼らは、フェイスブックがユーザーから個人情報を収集する恐るべき能力を利用しているのである。二〇一六年の大統領選に対するロシアの介入にフェイスブックが関与をしたという恥ずべき話とはまったく別に、フェイスブックがその熱心な――実のところ依存症気味の――ユーザーの権利と利害に対してとんでもなく無関心だということには、驚嘆せざるを得ない。この一見無害なニュースソースかつネットワークデバイスが、実際には人間の退屈を梃《てこ》として最大限の利益を生み出し、民主主義を覆す政治構造の、最も有害な特徴を有しているのである。二〇一八年七月にフェイスブック社は株の大暴落に見舞われ、二時間の取引で二三パーセントの収益を失った――見積価格で一二〇〇億アメリカドルの損失であり、一日の暴落としてはその歴史上最大である。[*2] バブルはついに弾《はじ》けようとしているのか？

まあ、それが起きるまでは、フェイスブックを日常使うという現実についてよく考えよう。これは、とりわけ悪質な依存症を生み出す。悲しいことに、ほとんどのユーザーは選挙のスキャンダルを気にかけていない――フェイスブック社がユーザーのことをあまり気にかけていないということは知っているのだが。

　かつて同社でプラットフォーム開発者として働いていたサンディ・パラキラスは、株式の初上場前にプライバシー問題を担当していた。「僕が内部から見たのは、ユーザーの情報を悪用から守ることよりも、データ収集を優先事項とする会社の姿だった」とパラキラスは二〇一七年に書いている。*3「フェイスブック社はあなたのことを何でも知っているのだ。あなたがどんな容貌で、どこに住んでいて、どんな友達がいて、どんなことに興味があり、付き合っている人がいるかどうか、ウェブでほかにどんなページを見るか、なども」。こうした集められたデータは広告主に供給され、毎日、一〇億人以上のフェイスブック・ユーザーが広告のターゲットとなる。いや、それ以上に悪いのは、このように情報をほぼ独占していることに対して、状況を監視する外部団体も外部規制も現在存在しないために、会社は本能的に利益優先の価値順位を逆にしようとか、顧客を守ろうとかいう動機がない。「フェイスブックはあなたの個人データを使って、自分たちが望むことをほぼ何でも好き放題にできる」とパラキラスは続ける。「そして、保護手段を用意する理由がない」。実際、二〇一五年くらいには、フェイスブックに「憲法」が必要だという議論はそれほど突飛なものではなくなっていた。

　このサイトには「真実や虚偽に関して質的な判断をすることに哲学的、制度的なアレルギーがある」とテクノロジー専門のライター、マックス・リードは言う。「フェイスブックは、よく見ると、国家に似たようなものになっている――メディアや市民の関心に対してほぼ最大限の権力を持っているのだ」[*4]。このように足枷のない権力を持った組織は、ユーザーの利益となる規則や規制を持つ自由民主国家に似たものとして作り変えられるか、現存する自由民主国家の下で国営化されるか、どちらかが必要だ。第三の、もっと恐ろしいオプションは、フェイスブックが国家権力としての地位をはっきりとした形で表明し、ユーザーを「市民」にすること――あるいは、事実上の奴隷にして、強制的にコンテンツを与えていくことである。[*5]「フェイスブックの憲法は情報戦争の問題を〝解決〟するのか?」とリードは問いかける。「公的領域であることと、個人の自由、市民の健康などといった、競合するニーズのバランスをうまく取る憲法が必要だ。そして、プラットフォームによる決断を人々がよく理解し、それに対して声を発することができるようにする。それが、解決に可能な限り近いものとなるだろう」。

そして、それが起きるまで、答えはやはり政府による規制である。だが、資本主義市場では、規制は本当のコストとして経験される必要がある。それ以外に、一貫した方法でコンプライアンスを奨励する方法はない。厳格な規制を課したとしても、ロビー活動や訴訟費用のほうがコンプライアンス費用よりも安いと見なされれば、規制は歪められてしまう恐れがある。その間、プラットフォームは同じ形で作動し続け、関心と個人情報を広告収入に替える。パラキラスが特に恥ずべきこととして取り上げるのが、「中毒性のあるゲーム」である。「無料」であると言いながら、プレーヤーは実際には代価を払っていた。それは、自分の個人データに自由にアクセスできる権利をゲーム開発会社に与えることだ。「ゲームのユーザーたちにとって不幸なことに、彼らがフェイスブックを通して外部の開発会社に伝えているデータには保護がかからなかった。そして、データがゲームの開発業者に渡ってしまったら、それが悪用されないように、フェイスブックにできることはあまりなかったのだ」。このことには、集めてきたデータを使って子供たちのプロフィールを同意なしに作ってしまうとか、ゲームを使ってあなたの写真やメッセージをすべて抽出するといったことも含まれる――こうしたことがゲームやアプリ自体とまったく関係がなくても。パラキラスは、こうした事例を調査しようとする試みは逸らされ、否定的な話はすべて潰されたと言う。

こうなると、これをSF的な悪夢のシナリオとして見る誘惑に駆られるだろう。非常に中毒性の高いゲームが、エイリアンによるマインドコントロールの隠《かく》れ蓑《みの》として使われているといった物語だ（『スタートレック ネクスト・ジェネレーション』にも、このような物語があった）。しかし、ここでのエイリアンはあなたの友人や隣人であり、標準の市場の制約内で活動している。彼らは我々が退屈してしまう傾向や、退屈を恐れることを利用し、マインドコントロールによって労せずして儲けているのだ。ゲームが「非常に中毒性の高いものだ」と言うのは、することがないし刺激がないという感覚をそのゲームが繰り返し、しかし一時的にすぎないが、食い止めていると言うのと同じである。これがネオリベラル的退屈の中核だ。それが約束するのは退屈の兆候自体を緩和することであり、それがまた兆候を引き起こして拡張する。こうしたことはすべて、我々が進んで、熱心に参加するからこそ起こる。

フェイスブックを利用したロシアによる大統領選挙の操作は、一億二六〇〇万人ものアメリカの有権者（あるいは、潜在的な有権者――投票所に行くためにフェイスブックから離れることができる人々）に影響したと見積もられている。明らかな他国による主権侵害であるが、これもプラットフォームとそれに付随するインターフェースが規制されていないために起きた。個人の主権が日常で商業的に悪用されていることは、現行の民主主義にとって同じくらい脅威であるが、そちらに関しては相応しい怒りをあまり掻き立てていない。これは（またパラキラスだが）「国の大部分に毎日影響を与え、これまで誰が集積したものよりも詳しい個人データを持っているのに、その悪用を防ごうとする動機のない会社」なのである。結論――フェイスブックは厳しく規制されるべき、あるいは、同社によるデータの独占は分割されるべきだ。こうしたことが起きる見込みについてあなたがどう考えようと、それだけでは充分ではない。フェイスブックは、ネットワーク化したインターフェースの影響のシステムにおけるナンバーワンの証拠物件だ。それは我々の欲望や恐怖を、我々自身に不利なように利用する。これは単なる形而上学的な批判ではない――形而上学的な批判だけでは、我々がゲームをし続けたり、フィードをスクロールし続けたりする衝動に対して、深い哲学的な洞察をする機会を失してしまいかねない。これは、そのような政治的・経済的システムに活発に幇助《ほうじょ》されている自己の生産であり、消費である。このシステムは、多くの人が喜んで、気軽に、幸せに参加する現行の仕組みなのだ——もっといい表現がないので使わせていただくが。広告主たちを責めてはいけない。彼らはシステムの論理に従っているだけだ。いや、我々は敵をすでに見ている。それは自分たち自身だ。

しかし、待っていただきたい。我々は、毎日の絶望の構造的な面に焦点を絞りたいのではないか？　第1部から一つの点を思い出そう。中毒性のある欲望のサイクルの問題となると、犠牲者を責めることは生産的な議論の戦略ではないし、修辞的な戦略ですらない。しかし、すべての規制がよい規制だというわけではないし、すべての足場組みがその規制を受ける者のためになるわけでもない。我々はここで、「肘で軽く押す《ナッジ》」の概念と、それが政策と公共の場で呼び起こした議論を援用してもよいだろう。

ノーベル経済学賞が、その主題である学問と同様、論争になりがちなことはみんな知っている。ボブ・ディランが本当に作家なのかといった熱い議論はないが、多くの受賞者は——『ニューヨーク・タイムズ』紙のコラムニスト、ポール・クルーグマンもその一人だが——称賛と同じくらいの怒りを掻き立てている。経済学者は中世の神学者のようで、ピンの先端でどれだけの天使が踊れるかといった問題に関し、激しい口論を繰り広げるのだ。二〇一七年の受賞者、シカゴ大学のリチャード・セイラーは適例である。同僚のキャス・サンスティーン（多作な法学者であるとともに、かつてはホワイトハウスの「規制のドン」と言われた）とともに、セイラーは「選択の建築」という概念を提唱した。これが「ナッジ」としても知られているものである。一連の本で彼らが主張するのは、政府には市民がよりよい選択をするメカニズムを作り出す責任があるということだ。

ここでの動機はすでに明らかである。我々人間は退屈から、あるいは怠慢から、あるいは単に愚かさから、賢い選択ができなくなっている。我々自身の幸福に関する場合でさえ、そうなのだ。たとえば、多くの人は不注意か混乱のために、自分の引退に備えた貯蓄について、まずい決断をしている。そこで、選択的離脱の条文つきで、強制的貯金制度がなくてはならない。同様に、車を運転する人の臓器提供のシステムは、現在の規準とは逆に運用されるべきだ——つまり、提供するのを標準とし、しないほうを選ぶべきである。もっと世俗的な例には、携帯電話のオートコレクト機能による愉快な事例や、ファストフード店で過食しがちな人たちに対する方策などがある。こうした店でトレーをなくしてしまえば、あなたはゴミも胴回《ウエスト》りも削減《ウェイスト》できる。みんなが勝つ！

「肘で軽く押す《ナッジ》」は、もちろん、必ずしも体《ボディ》にとって、あるいは政治体《ボディ・ポリティック》にとって、いいことをするばかりとは限らない。ハンバーガー店での大盛り割引や、映画館でのソフトドリンクの追加割引サービスなども、「選択の建築」の例である。クレジットカードや、公営事業のネガティブ・オプション、ケーブルテレビのパッケージなどもそうだ。批判する者たちは、福祉国家を目指すナッジという考え方自体を「父親的温情主義」であると捉え、実際に、この考え方は「自由意思を尊重する温情主義」と呼ばれるようになった。これは、多くの人々が基本的な政治的自由と考えるものに対する政府による規制――すなわち、自分にとって（もしかしたら世界にとっても）害になるかもしれないものも含め、欲しければどんな地獄でも選べる能力に対する規制である。

もちろん、仕組まれていない選択といったものなどないのは、規制されていない市場がないのと同じである。問題は常に、誰がその規制のシステム、あるいは建築によって利益を得るのか、ということだ。セイラーとサンスティーンは、よき「選択の建築」はすべての人に対する手厚い福祉を意味すると考えており、その主張が――より洗練された選択者はさほど賢くない人々を助けなければならないと示唆するときのように――古いタイプの大きな政府的エリート主義に近づいたら、選択的離脱の条文を最後の拠り所《よりどころ》にできるのである。

しかし、これはそこまで単純ではない。政治哲学者のジェレミー・ウォルドロンが「ナッジ世界」と呼ぶものに対する、より鋭い批判は、それが単に選択の自由だけでなく、自律性や尊厳をも弱めるということだ。選択が仕組まれているとわかっても、それでも我々は自由だと感じることが「自己」の基本だと感じる。仕組んだのが善意の国家組織であれ、貪欲な業者——ソフトドリンクの超大型容器を禁ずる法律に反対する者たちのような——であれ、関係ない(最近の調査では、ソフトドリンクの量の制限は人々の健康に目立った効果をあげていないようだが[*6])。

この見解によれば、我々は導かれると、社会の迷路を通ってよき福祉のチーズにありつこうとするネズミのような存在になってしまう。あらゆる功利主義的社会の仕組みには、それが人間を尊重していないという非難がつきまとうが、ナッジもその微妙なものだというのである。これはよい指摘だが、中心となる問題は残る。我々は物事を機能させるために、外部の枠組みを必要とする。それは、我々がしばしば理性を欠いた選択者になるからというだけでなく、積極的に悪しき市民にもなるからだ。無制限の選択に固執するのは、我々が本当は速度制限や交通法規を必要としているのに、遊園地のバンパーカー遊びをすべきだと主張するようなものではないか。これは、昨今の言論の自由に関する「論争」を表現する際、ぴったりのメタファーだと私には感じられる。

したがって、ナッジに怒りたければ怒ってもよいが、ナッジでは大した成果はあげられない。これは物々交換と同じくらい古く、スリーカードモンテと同じくらいコツがいる。ここで憐れみを催させるのは、人間の状態自体だ。おそらく我々はよりよい選択者になろうと努めるべきなのだが、それには労力がかかりすぎる。ならば、どこかの勤勉家が作った選択の建築に考えることを任せればいいではないか――それで自分が自由だと感じられるのなら？　結局、ナッジによって際立つのは、欲望についての欲望をめぐる我々の内面のもつれである。我々はもっとよい人間でありたい、もっと自立し、もっと威厳のある人間でありたいと望むかもしれないが、今日のところは無理だ。今日のところは、選択の建築士よ、僕はトレーをいっぱいにしたいんだ！

ソーシャルメディアとウェブは、より全般的に、あらゆるファストフード店の母艦と見なされてもいい。トレーを一枚もらえるのみならず、次から次へともらえて、好きなだけそこに載せられるのだ。そのパラレルな関係がすぐに明らかになる。ある人は、これを究極の選択の自由だと考える。別の人は、これをほかの（自ら課した）手段による束縛だと考える。ネットの中立性に関する論争は、主体性、依存症、そして自己などについての我々の懸念と関連するだけに、この問題に有用な焦点を与えてくれる。

二〇一七年の晩秋、トランプ政権の立法に関する方針の一部として、ネットの中立性を制限する提案が連邦議会に提出されそうになった。それに関連する背景はこうだ。連邦通信委員会は、その発足当時から、インターネットのコンテンツとそのすべてのプロバイダーは平等である――あるいは、少なくとも平等な競技場でプレーしている――という立場を取ってきた。インターネットのプロバイダーたちは、たとえそれが利益につながっても、ソースに関して差別することは許されない。できてしまうのなら、選択的な価格設定や二段階のサービスが必ずや現われるだろう。そうすると、強力なコンテンツを持つプロバイダーが――それがどういうところかは容易に想像がつくだろうが――顧客に対してより速く、より信頼のできるルートを持つことになる。小さなプロバイダーたち、アウトサイダーや、政治的に少数派のグループなどは、速度の遅いレーンに移されるか、もしかしたらサービスを完全に拒否されるかもしれない。彼らは名目上はウェブに存在し続けるが、潜在的な視聴者たちの目に届かなくなるのである。

ところが、連邦通信委員会は――二〇一三年以降、かつてワイヤレスとケーブル事業のためのロビー活動をしていたトム・ホイーラーが委員長だが――中立性を捨て、インターネットのコンテンツの提供を包括的に変革していくことを決めた。ほとんどの人々がプロバイダーの選択に関して厳しく限定されている事実によって、問題はさらに悪化した。二〇一七年後半には、四大ケーブル会社――コムキャスト、ヴェライゾン、AT&T、チャーター――が、アメリカの九四五〇万人のインターネット利用者のうち七四パーセントを顧客としている。約九六パーセントの顧客が、プロバイダーを選ぶとき、二つかそれ以下（つまり一つ）の選択肢しか持てない。こうした企業は、反トラスト法違反を疑われるさまざまな競業避止協定を結んでテリトリーを分割し、結果的には数社による独占と価格固定化の構図を作り上げているのだ。こうして数社が潜在的な取引の両面をカバーすることになる——消費者に対しては、どんなコンテンツを見るか指図できるし、その消費者と関わりたい企業に対しては、より高い使用料を請求できる。市場原理の点で、これは重大な欠陥だ。より大きな政治的意味合いでも、ウェブの潜在能力と役割をどのように見るかにもよるが、民主主義上の欠陥を伴うかもしれない。

批判的な者たちにとって、ネットの中立性を制限するのは、独裁的な言論の自由の粉砕と同じことである。次の引用は、政治コメンテーターのセアラ・ケンジオールの文章で、トランプ大統領の時代の争点や、彼が容赦なく社会的分裂を進めていくことについて述べている。

ここ一年近く、アメリカは傷ついた民主主義と勃興する独裁制との分岐点に立っていた。もしネットの中立性が損なわれれば、我々は間違いなく後者のほうに進んでいき、引き返せる可能性は低い。ネットの中立性への脅威は、デジタル時代に政治運動を組織化する際の、ソーシャルメディアと独立系報道機関への依存度の高さにスポットライトを当てる。もしネットの中立性が失われたら、大衆のかなりの部分に対するこうしたメディアの発信力は弱まるし、収入減によって運営不可能になるかもしれない。自由に情報を伝達できるオンラインの手段がなかったら、市民が政権に抵抗することはずっと難しくなるのだ。[*7]

まあ、そうかもしれない。確かに、ケンジオールの基本的な前提――インターネットは政治的抵抗に不可欠であり、だから現在の政権はそれを制限しようとする――を受け入れるのなら、とても悪いことが起こるように思える。それよりも目立たないが、おそらく可能性が高いのは、ネットが中立でなくなると、すでに存在しているデジタル分裂《ディバイド》がひどくなり、ある部分の人々（たとえば地方在住者）がほかと同じ恩恵を受けられなくなることだ。より恵まれた人々のスクリーンは豊富な選択肢に溢れているのに、それと同じものが見られないかもしれない。また、遠距離でものを売ることが難しくなるかもしれない。これはナッジというより屑《スラッジ》だ。

以上は公平性に関する議論だが、必ずしも民主主義に関する議論ではない。ネットは本当に、そこまで明らかに民主主義のツールなのか？　ケンジオールとその仲間たちが関わっているような草の根の運動には心からの敬意を払うものの――彼らは真実でないことを見つけたら声高に指摘し、政治家たちが自党に有利なように選挙区を改変することや、国家の承認の下で権利剝奪を企てることについて、基本的な調査をしているのだから――「ネットの中立性を取り消すと、情報の流れをせき止めることになり、有権者の抑制（訳注：ライバル陣営の支持者が投票に行かないよう誘導する卑劣な選挙戦術）が立証されにくくなる」といった彼女の主張には、即座に考えられる異論が二つある。第一に、この種の情報の流れはネットがやっていることのほんの一部であり、コンテンツのなかでは消えてしまいそうなほど小さな断片だ。それは欺瞞や誤情報、ヘイト、言うまでもなくポルノやくだらないミーム、実に些細な情報などの洪水に呑み込まれてしまう。第二に、ネットは政治的な抵抗を実践するにあたって、実のところ必要条件ではない。古いタイプのメディアがいまだにこうした政治的行動のほとんど（すべてとは言わないまでも）を可能にしている。情報伝達と組織化という、ウェブの利点として繰り返し挙げられる政治的抵抗の二つの面でさえ、スクリーンがなくても完全に可能だし、インターネットが二段階のサービスになっても可能だ。活動家になろうという人は、それを実現するためにオフィスをより頻繁に離れなければならないかもしれないが、おそらくそれはいいことだろう。

こうした二つの点の背後に、第三の点がある。異論というより、別の前提から導かれた結論。それは、インターネットが実のところ「公共財」ではないということだ。経済学の専門語を使えば、非競合性も非排除性もなく、これまでにもそれらがあったことはない（訳注：「非競合性」は追加的な費用なしで全員が同時に同量を消費できること、「非排除性」は対価を支払わなくても、その財を消費できることで、いずれかの性質を有する財は公共財と呼ばれる）。アクセスするにせよ、情報を発信するにせよ、それに関わる対価が常にかかるのだ。インターネットはせいぜい高度に構造化され規制されたコミュニケーションの手段であり、さまざまな民間の事業を支えているもので、その事業には営利目的とそうでないものとがある。それを基本として考えれば、インターネットが民主主義の純粋な道具かどうかはかなり疑わしい。「民主主義の道具」なるものが、欲望の何でもやり放題を意味するのなら別だが、これはプラトンの『国家』のなかでソクラテスが嘆いているものである。すべての欲望に市場への平等のアクセスと平等の地位を与えるというのは、民主主義の意味することではないし、意味すべきことでもない。

簡単に言えば、何も考えずにどんな選択も許容し、想像できる限りすべての表現の自由に賛成すると、法制度の理想としての民主主義は単なる無制限の選択と一緒になってしまう。これはよくある誤りであり、ネオリベラルの時代においては特にそうだ。政治的な命題について決断するよりも、消費者として選択するほうがはるかに日常の現実を占めており、政治的命題自体も、非常にしばしば消費者としての選択の問題になってしまっているのだから。しかし、それ以上に、選択が仕組まれていないことが絶対にないのなら――そして事実、絶対にないのだが――同様に表現は決して自由ではない――常に制限や利害が働いており、規制や境界線があって、そこから先は言論の自由を絶対視する人たちでさえ踏み込まないのである。実際、すでに見てきたように、いわゆるオルト・ライト（訳注：アメリカの新極右）が言論の自由を訴えるという、戯画のような状況になった。彼らにとって言論の自由とは、自分たちを批判する人たちを除いて適用される。彼らのヘイトに満ちた見解に対する異論は、逆説的に検閲と見なされる（国家が異論を言っているのでないのなら、どうして検閲になるのか？）。あるいは、多様性の抑圧と見なされる（ここでも、抑圧のメカニズムがないのなら、どうしてそうなるのか？）。あるいは、

「政治的に正しい」イデオロギーを吹き込むことだと見なされる（もう一度、あらゆる情報の自由な交換がネオリベラルの最高の善であるとされるのなら、どうしてそうなるのか？）。

問いかけるべきは、いつもと同じように、クウィ・ボノ——誰の利益になるのか、である。もちろん、私は多くの人たちと同じように、何時間もかけて「お客様窓口」に電話したり、正午から六時までのあいだに来ることになっている出張作業員を待ち続けたりした経験の持ち主だ。だから、ほとんど本能的に、ケーブルテレビの会社が望むことは、おそらく何でも自分が望まないことだと感じている（こうした会社は、テクノロジーへの信頼という話になると、顕著な例外となる—アンケート結果では、コムキャストやヴェライゾンを信頼する人の割合は、バンク・オブ・アメリカ、ジェネラル・モーターズ、タコベルなどよりも低い）。また、コムキャストなどの会社が、あからさまにネットの中立性の取り消しを望み、二〇一四年から一七年初頭、四〇〇万ドルをかけて連邦通信委員会と議会に対して陳情活動をしていたのも事実である。二〇一三年には、一八八〇万という法外な額を使ったのだが、これに勝るのは、防衛産業のノースロップ・グラマン社だけだ。こうした活動は、コムキャストのニュース部門（NBC、CNBC、MSNBC）では報道されていない。しかし、将来の潜在的な利益になるかもしれないというだけとはいえ、無味乾燥な立法の「改革」に卑しい動機が隠されている。批評家の一人が、我々の現在の懸念に関して皮肉っぽく言うように、「ケーブルTV会社はアメリカの偉大な真理に気づいた。もし何か悪いことをしたければ、退屈なもののなかに紛れ込ませるといい。アップルは『我が闘争』の全文をアイチューンズのユーザー同意書に入れておけば、みんなが同意、同意、同意、あれ？　同意、同意することだろう」[*8]。

一方、ネットの中立性に対するこうした連動する脅威は、草の根の運動家と巨大なプロバイダー（ネットフリックス、フェイスブック、グーグル、アマゾンなど）が政治的な同志になるという、奇妙な現象を生み出している。一方は、自分たちが「アクセス」と感じているものが失われるのを恐れている。もう片方は、潜在的な顧客が失われるのを恐れている。しかし、こうしたプロバイダーたちはすでに、我々がいかに楽しむかについてかなり影響を与えている。我々がいかに相互作用するか、いかにものを知り、いかに買い物をするかについても。私は、彼らの利益についてはあまり心配していない。何より我々にわかっているのは、「高速スピードのアクセス」を得るためなら、彼らがどんな費用でも払えるということだ。あるいは、口先ばかりの電気通信関連弁護士が述べたように、「ハイパースピードのアクセス」を得るためなら――というのも、ほかのみんなだってじきに「高速スピードのアクセス」は得るのだから。そう言ってみたところで、二段階のサービスがあることに変わりはない――たとえ片方が、ないよりはましという程度だとしても。

一方、大手ＩＴ企業に対する政府の規制はかなり遅れているか、まったくないかのどちらかである。規制という方向に対するためらい、あるいは完全なる敵意は、より深い背景のイデオロギーや政治的な流れと明らかにつながっている。二〇一八年七月、EUの行政部門である欧州委員会は、EUの市場競争の規則に違反したという理由で、グーグル社に前例のない五〇億ドルという制裁金を科した。グーグルのアンドロイドのOSは、世界の携帯電話の八五パーセントで使われていると見積もられている。グーグルはこの強大な影響力を使い、携帯電話製造業者にウェブブラウザのクロームだけでなく、検索エンジンもあらかじめ搭載することを強制していた。これが顧客と競争相手のどちらの利益も損ねていたとされたのである。

「このように、グーグルはその検索エンジン支配を確固たるものにするための手段として、アンドロイドを使った」と、EUの競争委員会委員、マルグレーテ・ベステアーは言う。ベステアーは続けて、彼女の職務が示唆するように、おもに競争と刷新が妨害されたという理由で制裁金を正当化するのだが、我々は可哀想な携帯電話のユーザーに考えを向けてみてもいい。彼らは好むと好まざるとにかかわらず、グーグルとクロームに向き合うことを強制される——そして、おそらくそれを使うことになる。だって、それ以上楽なことはないではないか？　EUはデータ保護やプライバシーに関しても、アメリカよりずっと積極的だ。二〇一六年の一般データ保護規則では、はっきりとした同意や、誰がデータにアクセスしたかを知る権利の問題を、人権を守る一般的な法的措置と結びつけた。この規制の結果として、たとえばフェイスブックは、約一〇〇〇万人のユーザーをその掌中から失ったと見積もっている。

　EUのグーグルに対する大胆な規制の動きに対し、ドナルド・トランプは予想どおり、ツイッターで怒りをぶちまけた。当時、ヨーロッパ、中国、カナダ、メキシコ、そしてアメリカの国境の外にあるほとんどすべて（ロシアを除く）との長引く陰湿な貿易戦争に入り、最初の攻勢をかけている時期だった。「私が言ったとおりだ！」と彼はいかにも彼らしい調子で書いた。「EUはアメリカの大企業の一つ、グーグルに対して五〇億ドルの制裁金を科した。やつらはアメリカをいいように利用しているが、長くは続かない！」。ヨーロッパの規制により、アメリカのIT企業にきつい制裁金が科せられるのには歴史がある。欧州委員会はかつて、グーグルの検索エンジンが競合するオンライン会社の使うショッピングツールよりも自社のものを優遇する決定を下したとき、二七億ドルの制裁金を科した（グーグルは最初の制裁金に異議を申し立て、二番目の制裁金についても上訴しようとしている）。共和党であれ民主党であれ、政治家たちは（前大統領のバラク・オバマも含め）、ヨーロッパが自国の会社では太刀打ちできない部門で、財政上の利益を得ようとしていると主張してきた。「しかし、EUが私益を求めてアメリカの会社を追い回しているという主張は事実と合わない」と政治ジャーナリストのジョン・キャシディは言う。「実際には、アメリカのIT大企業がその独占した力を濫用し、こうした濫用の犠牲者たち（アメリカの企業も含む）が、大西洋の向こうに苦情の申し立てをせざるを得なかったのだ。その証拠が積み重なっているのに、ワシントンの歴代政権は意図的にそれを見逃してきたのである」[*9]。より近い場所での規制の試みはだいたいにおいて妨害されてきた。二〇一二年、アメリカ連邦取引委員会は、グーグルの行為は消費者に害を及ぼし、ネット検索と広告市場におけるイノベーションに害を及ぼした結果であり、今後も及ぼす恐れがあるという、一六五ページに及ぶ内部報告書を作成。契約に拘束条件が多く、アプリが強制的に販売されることなどを理由に、独禁法訴訟を起こすことを提案した[*10]。しかし、二〇一三年一月、連邦取引委員会の五人のメンバー（みな政権によって任命された者たち）が委員会の結論を却下し、投票結果5対0で、グーグルへの法的措置は取らないという決定がなされた。

インターフェースはテクノロジーではない。それは我々の関心経済において、テクノロジーを成り立たせている社会的かつ政治的な影響のすべてである。とてもよくあるように、テクノロジーのユーザーが真の敗者であり、関心がライバル企業に引きつけられているとき、いっそうそうなる。ライバル企業は大企業と同じことに取り組んでいながら、独占への野心を支援するだけの市場のシェアがない。市場を支配しているツールを使わないようにするのは極端に難しいが、だからといって大企業のものを使っていると、ユーザーは怠慢だとそしられる。あるいは、アカウントを消去したり、自分にメディア断食を課したり、もっと大胆に支配的な企業に抵抗しないことで非難される。しかし、オプションがオール・オア・ナッシングという仕組みになっているとき、ユーザーはどうやってもうまくいかない。それは一括販売、または抱き合わせ販売の姑息な論理であり、長続きする唯一の解決法は、スマートフォンもコンピュータもまったく持たないことしかないように思われる。こうした市場原理に基づいた費用便益分析では、毎日それを使う憐れなユーザーたちこそ、常にそして、すでに間違っているのである。

果てしなく続く、あり得ない旅

しかし、中毒者を責めることは――気晴らしとしてはさかんに行われ、根絶できないようではあるが――インターフェースの話となると完全に場違いである。マイケル・シュルソンがオンラインの中毒とギャンブルを比較して指摘したように、「ギャンブルに関する学術的な文献は圧倒的に中毒者自身の精神と行動に焦点を当てている。［しかし］ギャンブラーとゲームとのあいだには何かがある――特定の人間と機械の相互作用であり、その条件は意図的に仕組まれているのである」[*11]。その上、ナターシャ・シュールが『デザインされたギャンブル依存症』で指摘したように、その相互作用は何百人ものとても賢い人々によって作られている。彼らの主たる目的はあなたの関心を摑み、保持することなのだ――我々はそれに屈したということであなたを、個人を、非難し続けるのに[*12]。シュールがおもに焦点を当てるのはラスヴェガスのスロットマシーンで、それは中毒性のある機械でも特に有害なものであるが、中毒するように意図的にデザインされた選択肢に関する彼女の洞察は、さまざまな事例にまたがって妥当だ。彼女はまた、デザイナー、ユーザー、オーナー、イネーブラーたちによって作られた選択肢のネットワークも強調する。これによって、ギャンブル依存症は振り落とすのが難しいものとなり、スロットマシーン依存症において見られるような、たいていは隠されているジェンダーや階級の格差が生まれるのである。

　しかし、このような依存症で何が起きているかに関しては、我々は誤解し続けている。シュールの本に関する書評の一つは、次のような修辞疑問の見出しを掲げていた——「物質は悪であり得るのか？[*13]」。まあ、物質は確かに悪い効果を生み出したり、促進したりする。けれども、おそらくそれ自体が悪というわけではない（物質が悪であるというのは、ドラッグが悪であるのと同じではないか？）。テクノロジーをめぐる言語はそれ自体が責任を帳消しにする効果がある。「進歩」の不可避性という隠れたイデオロギーだけではない。使っている機械やソフトウェアのこととなると、我々は責任から解放された気になるという、より微妙な癖においてでもある。我々は選択ではなく、強迫といった言葉で語る。意思を認める言葉より、強制されているといった言葉を使う。ところが、ウィットに富んだ本、『回避の英語辞典』の著者である言語学者のマギー・バリストレーリは、ユーモアを意図して、実際にはその逆であると指摘する。「テクノロジーは私にどんなことでも強制《メイク》するのではなく、どんなことでもさせてくれる《レット》」と彼女は言う。「テクノロジーのおかげで私は誰かと面と向かって会うことができるようになり、誰かと面と向かって会うことを避けることもできる。つながることも避けることもさせてくれるのだ」[*14]。

依存症の言語を使うことも、比喩の要素を残しており（すべての慢性的なスクリーン・ユーザーが肉体的に依存しているわけではないので）、それによって問題の行動を巧妙に避けることができる。「あなたが呑み込まれるのは、あなたの関心を捉えるたった一つのものではない――テキストメッセージであれ、ツイートであれ、何であれ」と、クリエイティブ・ストラテジーズ（訳注：シリコンバレーの市場調査会社）のアナリスト、キャロライナ・ミラネシは、ファーハド・マンジューにそう語ったと引用されている。マンジューはすでに紹介した、スクリーンがピークに到達したとする予言者だ。マンジューはその引用をこう続ける。「スマートフォンのロックを解除すれば、あなたはすぐに、ほとんど無意識に、抵抗できない輝かしさを持つデジタルワールドへと下りていく――三〇分後に出てくるときには、あなたはぼんやりし、呆《ほう》けたようになっている」。そのとおりだ、とマンジューは言う。「この抵抗できない箱を開けてしまったら、あなたはもう闘えない」[*15]。人は、偏在するスマートフォンへの依存症的傾向について話すとき、自己を卑下するように笑う傾向がある。これは、問題の刺激がギャンブル、アルコール、あるいはドラッグだったら、特別に堕落した者しかしない行為だ。

それでは、これに関与する本当の悪魔はデザイナーたちなのか？　まあ、イエスでありノーでもある。一つの意味では、彼らは通常の利益を求める合理的な要請に従って、自分の賢さを売り、金を得ているにすぎない。では、オーナーたちか？　イエスだが、全面的にではない。といった調子で続く――ただし、一つの不変の事実は、ユーザーたち自身がほとんどいつでも非難を浴びやすいということだ。実際、ほとんどすべてのケースで、依存症の責めを負うのはユーザーたちであり、デザイナーとオーナー――普通は名を隠し、姿を見せず、あるいは闘うには大きすぎる――は、生ぬるく弱々しい非難を浴びるにすぎない。「ひと言で言えば、これはフェアな闘いではない」とシュルソンは言う。「インターネットによる強迫や混乱に関する記事をたくさん読むと、奇妙なパターンに気づくはずだ。筆者たちは中毒めいた行動の横行と潜在性に対して義憤を感じ、その思いを煽っていく。カジノのオーナーや、ほかの規制されている産業の所有者たちと、IT企業とを比べる。そして、怒りが頂点に達したとき、変わらなければならないのはユーザーである――デザイナーではなく――と示唆するのだ。[*16]

ニール・レヴィは、依存症を「拡張した自己の意思」の欠如として論じる際、個人の自己が気まぐれな欲望を制御する能力には限界があることを見事に指摘する。「統一の取れた自己は、交渉や取引、強引な策略などの結果である――少なくとも、重要な部分は。こうした策略は、人が目的を達成しようとするとき、人格の下部にあるメカニズムによって採用されるのだ」とレヴィは書いている。古くは少なくともプラトンまでさかのぼる、分裂する精神という考え方の反映だ。[*17] もちろん、中毒者なら誰でも知っているように、人はあの手この手の策略にすべて慣れてしまうことができる――微妙に時間を遅らせる、駆け引きする、嘘の約束をする、誓いを破る。

これは、実のところ、依存症がいかに感じられるかであり、だから依存症の心理学は刺激の種類がどれだけ多様であっても（ドラッグ、アルコール、煙草、食べ物、ギャンブル、見境ない性行為、仕事、暴力、などなど）一貫しているのだ。そして、よりアリストテレス的なひねりを加えると、こうした策略は個人的というだけでなく、環境的なものとも考えられる。「中毒者は、通常の注意を逸らすテクニックが成功の可能性を持つには、あまりに分裂している。それよりも、ドラッグを思い出させるきっかけがまったくないように環境を作ったほうが、成功しやすい」。[*18] このように環境を作ると、否定的な反応を引き出す孤立と投薬により、それでもドラッグを得ようとしたときの犠牲が大きくなる。あるいは、欲望に駆り立てられた価値観に変化を生じさせ、節制に費やされた時間に対する報酬が与えられたり、定期的な仲間同士のミーティングで節制が讃えられたりする。しかし、こうした策略の限界は、本当の依存症患者を扱った経験のある人には明白である。

この種のメカニズムを個人の外部にある明白な環境の管理によって支援することにより、可能な予備の防御線が提供される。価格の規制、所持していた場合の罰則、ある時間や場所での使用禁止、家族や仲間のプレッシャー、そして組織化された社会的非難などは、すべて依存症を抑えるための効果的な方策だ。我々はここに、いくつかのサイトの「自殺阻止フェンス」を付け加えてもいい。自殺願望の人を思いとどまらせるために、考え直すための時間を課すことや、意図せずに起きる害への意識を高める広告のキャンペーンなどである。こうした外部のメカニズムは、前のセクションで論じた言論への制限と同じように、すべて足場組みの一つとして働く。主体に害のある欲望は消されることはないが、非常に高くつく――一時的にではあっても――ということが示され、それによって、その欲望を満足させたいという衝動が押さえつけられるのだ。同じ理由で、刺激に簡単にアクセスできるように足場を外してしまうと、特にそれが――貧困、家庭の崩壊、遺伝的傾向など――完全な自律性を弱めるほかの要因と一緒になった場合、自己管理を実行することがそれだけ難しくなる（いくつかのメカニズム、特に家族や仲間のプレッシャーは、この点に関して、どちらの方向にも働く可能性がある）。

しかし、レヴィは自己の見解において、まだあまりに個人主義的かもしれない。「自己統治《セルフ・ガバメント》するには、政治的な政府《ガバメント》と同じように、主体の強制力を独占的に発揮する必要がある」[*19]。しかし、おそらくそうではない。結局のところ、元気な個人が意思をある程度の期間働かせて成し遂げることは、公益と考えられるだろう。我々はあらゆる種類のありふれた社会的な理由で、完全に（理想的にではなくても）自律的な主体が必要だ――よき市民であり、よき親であり、文化的な領域で生産的なメンバーであることなど。確かに、強制的な自己管理以上の社会的環境を構築し、理想的な条件下で可能な限り強力なものとするのは、とてもハードルが高い。[*20] 孤立した個人の欲望と行動を超えて、このように範囲を広げることは、実際、「罪悪税」（訳注：酒、煙草、ギャンブルなどにかける税）や薬物規制の取り締まりなどに想定される正当化だ。こうしたメカニズムは、インターフェースに関わる自律性の損傷に関しても当てはまるのではないだろうか――インターフェースへの没入は完全な依存症だという結論を差し控えるにしても？

シュルソンは、少なくともためらいがちにだが、当てはまると考えている。ユーザーのインターフェース経験をより広範に管理することを主唱しているのだ。特に、基本的な経験について――たとえば、通知や広告の規制である。

もっとラディカルには、ある種の「強要するデザイン」を禁止するケースもあるだろう。たとえば、フェイスブックの果てしないスクロールや、デートアプリのスワイプの機能である。それに加えて、いくつかのインターフェースをかなり使っているユーザー、明らかに強迫的なユーザーは、趣向を記録する現行のアルゴリズムを使えば容易につきとめられる。ユーザーの利用時間を制限するアプリ、メールアラート、特定のサイトへのアクセスを強制的に中断するアプリなどもあり得るのだ。こうしたメカニズムは、自己の記録を管理することですでに利用可能であり、あらかじめ設定しておいた制限に従って、ソーシャルメディアへのアクセスを阻止する。実質的に、これは「拡張した主体性」を使って、より強い自己の（優先的）立場から弱い自己を強化することだ。おそらくいくつかのインターフェースは、それ自体がアクセスの条件として、そのような設定を要求している。より根本的な規制もまた可能で、たとえば時間の設定や中央の管理に従って、あらゆる形のアクセスを制限できる。もちろん、こういうものはかなり評判が悪いだろうが、ほかにも意思の外部の機能で規制されているものがあることに我々は気づくべきだ。それは、明らかな犯罪行為から、酒類の販売免許、開店時間の制限などに至る、我々の知る有害な欲望を満たすもののほとんどすべてである。いまは食品でさえ、その成分が駄目になる正確な時間を示さなければならない。

この方面における改善のための、別の明らかな道は「デザイン倫理」を高めることである。さまざまなインターフェースに埋没していることでユーザーを責めるのを止め、それでもこうした埋没が有害だと主張し続けるのなら、特に責任があるのは――ドラッグの調達者、ファストフード店、調剤薬局、ギャンブルのできる場所と同様に――デザイナーだということになる。第一に意識すべきは、「デザイン倫理」が利幅や株主へのアピールとは切り離された懸念事項だということであろう。実際、ソーシャルメディアやその他の最新テクノロジーは公共財だという意識が必要だ。[*21] より具体的には、ジョー・エデルマンが次のような主張をしている。我々は経済学の選択理論という伝統的な洞察を使い、ソーシャルメディアにおける（デザインされた）選択の多くが有害だということを示さなければならない。彼の言葉では、それは「人を孤立させる、残念なもの」なのである。

こうした害は、より意識的なメニューのデザインで対処できる。より大きな選択の自由を許容し、それゆえに、自律性を脅かさない利益を得ることも許容するデザイン。その際、メニューや選択、結果などの公共のデータベースが、証拠を追跡できるように蓄積される（これらのデータベースが現在はまだ限定的なのは、ほとんどの「証拠」が挿話的な説明であり、通常は役に立たない「賛成か反対」に基づいて組み立てられているということがある）。こうしたデータベースは、現在のインターフェースのデザインで非常によくある隠された費用や、偽りの約束などを記録に残すことになるだろう。こうして情報を受け取った我々は、自分の有益な欲望とインターフェースが調和しているかどうか、判断できることになるのである。[*22]

もちろん、これに対する異論もある。特に、退屈と幸福の問題についてだ。多くの都市設計者たちが、退屈はそれを経験している者にとって常に悪いという確信を持っている——この確信は、常にではなくてもしばしば、しっかりとした検討なしで通用している。ストレスを最小限に抑えようとして、彼らはたとえば通りや公園で、退屈する機会をなくすことを提唱する。面白い景色や刺激がないことで、脳はストレスの状態に追い込まれ、その状態の個人はストレスを取り除くために危険な行動を取りやすい。このように、退屈のネオリベラル的な説明が狡猾に拡張されて、次のような議論が唱えられる。すなわち、退屈を和らげることは公益になる、あるいは少なくとも、デザインにおける重要な目標になる。ここでの前提は、ストレスが常に悪いということ、できるだけ早く取り除かなければならないものだということである。

私はレム・コールハースやヤン・ゲールなどの建築理論家に影響を受けた者として、よりよき街のデザインに反対するつもりは毛頭ない。[*23] しかし、よきデザインの原理と、常に刺激を与えようという全般的な計画とのあいだには、大きなギャップがある。たとえばゲールは、古典的な考え方に沿って、刺激ではなく多様性を主張する。ここには、重要なことに、我々が刺激をあまり感じない時間、あるいは空間が含まれなければならない。刺激を感じないことで、退屈してもよい。それによって、我々の思考はそれ以前に経験した刺激を処理し、ある未来の時点にあるかもしれない刺激の更新を味わえるのである。さらに言えば、不必要な苦しみを支持する者は誰もいない一方で、否定的に作用する経験を、すべて避けなければならないと見ることには、危険があると思う。ときに刺激を受けずにいることは、それ自体がよいことなのだ(これは、退屈の宗教的な理解とは異なると私は考える。退屈は思考や行動があまり用いられず、不満を感じている状態だという考え方――エーリッヒ・フロムが言う、「我々の生産的な力の麻痺」である)。[*24]

認知科学者のコリン・エラードは、先ほど論じたような依存症的な行動とのつながりを取り上げる。「研究者たちは、ちょっとした退屈なエピソードでさえ、コルチゾール（訳注：ストレスに対応するホルモン）を増加させると発見した。これは、退屈と死亡率には実際に関係があり得るという最近の見解とも一致する」と彼は言う。「退屈は危険な行動にもつながりかねない。薬物やギャンブルの依存症も含め、依存症を持つ人々について研究したところ、彼らの退屈の度合いは全般的に高く、退屈を経験することが依存症への逆戻りや危険な行動につながる場合がとてもよくあるのである*25」。

エラードは退屈に関して、半ば譲歩するような形で結論を述べる。「外の世界が我々の関心を惹くことに失敗したら、我々は内面に目を向け、精神的な風景に集中することができる。退屈は、ときどきそう議論されるように、我々を創造性へと導くのだ。我々は持って生まれたウィットと知性を使って、単調な環境を叩き切ろうとするのである」と彼は述べる。「しかし、我々の感覚的な多様性への欲求を無視する街の景色や建物は、古代から進化を支えてきた新奇さを求める衝動を逆撫《さかな》でする。こうしたものは、未来の人間たちにとっての快適さや幸福、最上の機能性などにつながる可能性は低いのである」。そして、読者が訝《いぶか》らないように言うと、そう、こうしたことのためのアプリもある。適切に設定すれば、あなたが退屈しているとき、そのことをあなたの電話が教えてくれるのだ――退屈していることにあなたが気づいていなかったときのために。『ＭＩＴテクノロジー・レビュー』によれば、「研究者たちのグループが［あなたの退屈の度合いを］測定できるアルゴリズムを開発したと発表した。それは、あなたの携帯電話の使用に着目し、あなたが最後に電話で話したりメールしたりしたときからの時間、その日時、あなたがどれくらい熱心に電話を使っているかなどの要素を考慮するのである[*26]」。

電話を手に持てないでいるとき、手がピクピクするような人には、部分的な解決法がある。喫煙との類似は明らかだ。多くの依存症的な行動は、見たところ単純なようでいて、実は複雑な現象学的問いに関わっている。それは「自分の手のやり場をどうしたらいい？」という問いだ。電話を手で扱っていたいという、ほとんど肉体的な欲求を意識するのは、奇妙だがよくある心身相関の依存状態である。それに対する治療的な介入は、束縛を感じる本人が受け入れるべきもの、あるいは望みさえすべきもののように思われる。

オーストリアのデザイナー、クレメンス・シリンガーが考案した、サブスティテュート・フォーンはその一つだ。この役に立つ「デバイス」は、記事によれば、「五つのモデルがあり、見た目も感触も、標準的電話のようである[*27]」。しかし、「スクリーンの代わりに石のビーズがさまざまな角度で埋め込まれている。このビーズをユーザーはスワイプし、つまみ、スクロールして、スマートフォンを取り出したいという欲求を宥《なだ》めることができるのだ」。この異様な製品は、我々の時代におけるギリシャの悩みの数珠（訳注：まさぐって緊張をほぐしたり、気を落ち着かせるための数珠）、あるいは（こちらのほうが当てはまるかもしれないが）乳飲み子のおしゃぶりのようなもの。黒いポリオキシメチレンで作られていて、本物のスマートフォンのように感じられる。ビーズにはハウライトの石が使われ、本物のスマートフォンのスワイプやスクロールの機能を真似《まね》できる。デザイナーのシリンガーによれば、サブスティテュート・フォーンはユーザーを落ち着かせ、彼らが禁断症状（「チェッキング行為」とも呼ばれる）と対処する手助けをする。絶望的なほど中毒した人にも希望はある、少なくともおしゃぶりという形で！　しかし、残念なことに、この製品は——いまの時代に不可欠なのに——広く流通していない。そうなると、このデザインは治療のためというより、芸術作品ではないかという疑いを残さずにいられないのだ。

いずれにしても、依存状態とそれに関連する隠喩——依存症の治療も含む——のサイクルで、ネオリベラル的議論は一つの円環を結ぶ。退屈は環境から引き起こされる。それはストレスとして個人に体験される。ストレスは緩和されなければならない。依存症的行動は、緩和のサイクルにおいてあり得る一つの形である。最悪なのは、これが進化の過程で我々に埋め込まれているということだ！　ゆえに我々は退屈を減らすために、できることすべてをしなければならない。しかし、ここに関わる社会的かつ政治的な仮定をもっとはっきりと引き出してみよう。

我々に埋め込まれた性質のある部分は、新奇さに反応するかもしれないが、新奇さ自体は価値がない。その上、我々はどんな状況においても退屈を感じるのであり、ときには刺激に満ち、短期的な欲望の満足を安易に得られるところで、特に感じてしまう。退屈とは兆候であり、病気ではない。その逆だと想定することは、ここでもまたネオリベラル的自己の説明の罠にかかってしまうのだ。

間違いなく、これらの点に関する議論は続くことだろう。そして、覚えておこう。こうしたすべての努力の背後、そしてそれに関する政治的な議論の背後には、地球規模の自律的な自己という問題があるということを。それは、我々が今後も懐疑的な目で見続けなければならないものだ。偶然ではなく、ここにはカフカの残響がある。いまは亡き小説家、デイヴィッド・フォスター・ウォレスは、カフカのユーモアに特有な性質を論じていて、このように表面上は暗い作品の喜劇的な特徴を自分のアメリカの学生に伝えるのがいかに難しいかを指摘している。ウォレスによれば、問題はカフカのユーモアが、学生たちが手元に持っているカテゴリーのどれにも当てはまらないことだ。それは風刺でも、皮肉でも、スラップスティックでも、感傷的でもない。[*28]

では、何か? カフカのユーモアは深く、不気味で、それでも馴染みがある——というのも、人間的だからだ。カフカを読むと、我々は暗い鏡を通すかのように自分自身に出会う。ヨゼフ・Kは、彼にも我々にもわからない罪により告発され、有罪の判決を受ける。そして不幸な死刑執行人たちに、彼の人生を終わらせるナイフをどのように振るったらよいのか考えてやる。鍵がかかっているらしい天国への扉を前にして、男は錯乱し、自分を苦しめている者のコートの襟《えり》にとまった蚤《のみ》たちと会話を始める（ドアは実のところ最初から鍵がかかっていない）。ここのユーモアは、あなたがジョークをわかるというように「わかる」ものではない、とウォレスは言う。彼の学生たちが困惑するのは、「我々が彼らにユーモアとはわかるものだと教えてきたからだ――ちょうど我々が彼らに自己とは当たり前に持っているものだと教えてきたように」。

とすれば、彼らがカフカの本質的なジョークを理解できないのも無理はない。アイロニーの一種で、同時に喜劇的で悲劇的でもあるジョーク。「人間としての自己を築こうという恐ろしい奮闘の末に築かれた自己は、その恐ろしい奮闘と切り離せない人間性を持つことになる。故郷を目指す、果てしない不可能な旅こそ、実のところ我々の故郷なのだ」。

まさにそのとおり！　我々はこの事実に直面せず、ゆえに単なる仮定としての自己でさえ、確立することがいかに複雑かを決して理解しない。もしT・S・エリオットが「バーント・ノートン」で生き生きと描いた状態に我々が永遠にいるとすれば――「充満でも空虚でもなく、あるのはただ／時間に縛られ、張り詰めた顔にゆらめく光／気散じによる気散じから気を散らされ／夢想に満ちているが意味は皆無」。退屈を払いのけること、あるいはそれを創造性かさらなる消費に昇華させることばかり考えている限り、我々は自己との対峙《たいじ》を――おそらく無期限に――先延ばしにしているだけである。自己との対峙こそ、自己に不可欠なことなのに。この果てしなく、そして目的地にたどり着けない旅は、しばしば退屈かもしれない。しかし、それこそまさに誰もが踏み出すべき旅である。

自己消費

テクノロジーは環境である。空気や自然界がそうであるのと同じくらい確実に。実際、いまの我々の存在に関する中心的な特徴は、どこにも自然な――人工ではないという意味での――現実の領域がないということだ。我々が自然と呼ぶものは、人新世（訳注：人類が地球の地質や生態系に重大な影響を与える発端を起点として提案された、想定上の地質時代）の人間が作り上げた現実によって完全に条件づけられている。これはある種の人々には明白で、ある種の人々には問題含みである。しかし、この状態がどれだけの時間をかけて作られたか、そしてどれだけの声がそれを指摘する声に加わっているかを考えてほしい。画家のターナーが日没を発明したという決まり文句がある。ターナーは我々が日常の天文学的な事象を見る経験を決定的に条件づけ、そこに何層もの意味が介入するようになった。そのため我々は日没を見るときに、視覚的かつそれ以外の意味（ロマンス、死、ノスタルジア）に何層も覆われた形を通してしか見られなくなったのだ。この本の目的にもっと沿っているのは、次のハイデッガーの言葉だろう。テクノロジーは道具、あるいは道具のセットではなく、態度でもない。世界を全体として解釈する見方だ。ゲシュテル（訳注：ハイデッガーが近代技術の本質を言い表わすために用いた語）、あるいは骨組みという形で、テクノロジーは世界を形成する力を明らかにする――テクノロジーがいかにすべてを利用可能にし、将来的には使い捨て可能にするか。あからさまな例では、林の「特別保有地」というのは将来の木材であり、滝は将来の水力発電機である。

しかし、我々はこのような枠組みの影響、つまり世界を「特別保有地」として捉え直すことに、自分たちが含まれないと考えてはならない。我々もまた資源であり、より大きな使い捨てのシステムの要素として生産され、消費される。「人的資源」という言葉のとおり、我々は労働力としての商品で、仕事場の環境は、心ならずも商品となった我々を守っているという建前なのだ。より深刻なことに、我々は自分の欲望と快楽のための消耗品である。「自己」という概念自体が一種の製品となり、ビデオゲームやネットフリックスのビデオと同じ形で摂取されかねないのと同じだ。実際、我々自身の自己という存在が商業的製品と結びつく構造をしばしば欠いていることを考えれば、我々はビデオゲームなどで語られる古典的な物語で「一貫性」のレベルにたどり着こうとするのかもしれない。自分も、何百万ドルもの予算で製作されるものと同じように潤色されたいと望むのだ――無限に連なる可能性のあいだをスクロールする、退屈な視聴者のために製作されるものと同じように。

　この自己消費には分岐する効果がある。インターフェースは企業が作用し、支配するメカニズムだ。我々はスワイプし、スクロールし、つながりと啓示を求めてプラットフォームに自己の意識を差し出す際、自己を消費している。時間を超えた「現在」の世俗的な誘惑に身を委ねるとき、自己を消費している。これはショッピングやネットサーフィンの「現在」であり、そこには過去がないし、本当の未来もない。「現在中心主義」の誘惑に関する最近の警告は、適切なことに、ドゥボールの『スペクタクルの社会』における資本主義の時代の分析を思い起こすことで、適切な歴史的コンテクストに据えられている。あるいは、テクノロジーと時代に関する最も洞察に溢れた哲学者、ヴィリリオの不吉な言葉を思い起こすのがいいかもしれない。「見るも鮮やかだ。時間における収縮、領土空間の消滅。要塞都市と装甲板はすでに消えている。それによって、〝前〟と〝あと〟の観念は未来と過去しか表わさなくなった。〝現在〟が決定の瞬間性のなかに消えていこうとする戦争形態における、未来と過去しか」[*29]。

　このような状況下、インターフェースは時間を超えたドラッグだ。現実の過去とも現実の未来とも関係ない、まして我々がいまだに敢えて現実的な目的と呼ぶかもしれぬものとも関係ない、果てしない中毒。この点を小説の形で考察した例を見てみよう。アナリー・ニューイッツの二〇一八年の小説、『オートノマス』では、闇の薬品開発者が、生産性を高める効能のある薬品の海賊版を売りに出す[*30]。これは、ザクシーと呼ばれる多国籍薬品会社の地球規模の影響力に対する対抗措置であり、ザクシーの新しい記念碑的薬品がザキュイティだ。「ザキュイティは中脳と前部前頭葉の大脳皮質にあるニューロンのドーパミン受容体の数を減らす」と登場人物の一人は説明する。「これを摂取すると決断力に支障をきたし、脳が依存症に極端に屈しやすくなる。ドーパミン受容体を失えば失うほど、人は薬を飲んだときにしていた特定のことに依存しやすくなるのだ」。特許窃取者はここに企業資本主義の利害関係を見て取る。「これは、ザキュイティの使用を認可する企業にとってはいい知らせだ」と彼は指摘する。「突如として会社の従業員たちが働くことに取り憑《と》《つ》かれ、プロジェクトを完成させようと躍起になるのだから[*31]」。

しかし、窃取者によるザキュイティの安いコピー品は、致命的なほどの中毒を引き起こすことがわかる。人は壁にペンキを塗ること、ドーナツを作ること、あるいは自動運転の輸送システムを自分の決断で動かすことに取り憑かれてしまう——破滅的な例では、ニューヨーク市を大西洋の地下水から守っているはずのエンジニアが、そのシステムを試すことに取り憑かれ、市を大洪水に沈ませてしまう。彼らは薬自体で死ぬのではなく、脱水症状や免疫の減少といった副次的な効果によって死ぬ。あまりに激しく、あまりにたくさん働くので、文字どおり自分たちのケアができなくなる。仕事中毒が、精神に影響を及ぼす化学薬品によって限度を失ってしまうのだ。自責の念に駆られた薬品の窃取者は、怪しいフリーの実験室の遺伝子デザイナーやリバースエンジニア（訳注：機械を分解したり、ソフトウェアの動作を解析するなどして、製造方法や動作原理、設計図の仕様などを調査するエンジニア）の助けを借りて、こうした効果を止めようとする。実際には記憶の欠損を作り出し、それによって依存症のサイクルを壊すのだ。ザキュイティに苦しむ主体は、このサイクルを――ドーパミンによる興奮によって死ぬまで働くという加速度的な効果のサイクルを――忘れることができるのなら、生き残れる。ただし、短期的な記憶の喪失という代償はあるが。

不幸なことに、そして皮肉なことに、労働者たちが摂取する薬がより良性のコピー品ではなく企業の製品だとすると、彼らは労働者として役に立たなくなる。「突然、クイックビルドの労働者たちはサイクリングに行ったり、子供と遊んだり、ビデオを見たり、個人的なプロジェクトのためのソフトウェアを作ったりしたくなった」。一方、そこから退く効果は文字どおり吐き気を催すものだ。「海賊版のザキュイティを使う者たちはすぐに快復したが、企業の製品を使っている者は突如として、数カ月の記憶が意味を成さないものになった。彼らは元に戻ることができない。おそらく嘔吐《おうと》することなしでは、自分の仕事が二度とできないであろう」[*32]。

これは思索的な小説という以上に、我々の仕事への熱意とテクノロジーとのこじれた関係に関する気の利いたコメントとして読むことができる――資本主義内部の「すべてが商品になる」という論理が最も明らかに現われていると言えるだろう。作業の効率性をあげることはあらゆるテクノロジーの目標であり、その命題によって自己を消費していくことは広範囲にわたっている。私には、ほかのディストピア的な未来を推測する者たちによって好まれる余暇や快楽のミーム以上に、包括的であると思われる。「私は決断を下しているの！」とザキュイティ中毒の犠牲者である輸送システムのオペレーターは、地下鉄の列車を正面衝突させながらも泣き叫ぶ。目的があるという感覚は、単なる快楽の感情よりも強く、少しドラマチックな表現を使えば、インターフェースもそのことを知っている。インターフェースは決断を——その決断が空っぽで、中毒を引き起こしやすく、有害であるとしても——基盤として繁栄する。これが退屈との関係についての本質だ。我々は決定を下しているときには退屈しない——あるいは、絵を描いているとき、ドーナツを焼いているとき、そのほか、ザキュイティが際限なく我々にしたい気持ちにさせるものなら何でも。それに対し、実生活においても想像できるように、我々は快楽しか経験していないと退屈してしまうものだ。関連する近未来を推測したものはいろいろとあるが、一例として、アニメ映画の『ウォーリー』（二〇〇八年）に描かれたような、果てしないクルーズ船での旅が挙げられよう。

経験が示唆するのは、我々が数多くの隠れた形で——嘔吐することも含め——自己を消費するということだ。私はここで、人は目的（と自分で想像するもの）を果たすという形を取って、最も完璧に自己を消費すると示唆したい。自己が信じるものと自己の関係は、常にテクノロジーによって促進される。それは日常生活にあまりに基本的なので、こうした条件が通常のテクノロジーの条件によってどの程度容易になっているかを吟味するのは難しい。同様に、避けがたい現実と思われるものを目の前にして、我々がいかなる政治的かつ個人的な力を発揮できるかも、想像するのは難しい。

しかし、もちろん、テクノロジーにまつわるイデオロギーで最も油断できない面は、いつものように、その略奪は必然的であるという考え方だ。ハイデッガーはこの本質的な点を指摘した――もっとも、ジャック・エリュールやマーシャル・マクルーハンといった後年の思想家たちのほうがよりはっきりとさせている。しかし、永遠に警戒し続けることが、インターフェースに支配された世界における個人の自由の代償である。何事も、我々が自然なものとするまでは自然ではない。そして、我々が必然であるとして受け入れるまでは、何事も必然ではないのである。

注

＊1　Matthew Field, "Facebook Will Not Ban Holocaust Denial 'Because People Get Things Wrong,' Says Mark Zuckerberg," *Telegraph*, 18 July 2018, https://www.telegraph.co.uk/technology/2018/07/18/facebook-will-not-ban-holocaust-denial-people-get-things-wrong/

＊2　Sheera Frenkel, "Facebook Starts Paying a Price for Scandals," *New York Times*, 25 July 2018, https://www.nytimes.com/2018/07/25/technology/facebook-revenue-scandals.html

＊3　Sandy Parakilas, "We Can't Trust Facebook to Regulate Itself," *New York Times*, 19 November 2017, https://www.nytimes.com/2017/11/19/opinion/facebook-regulation-incentive.html ほかのパラキラスの言葉もすべてこの記事からである。

＊4　Max Read, "Does Facebook Need a Constitution?," *New York Magazine*, 18 July 2018, http://nymag.com/selectall/2018/07/does-facebook-need-a-constitution.html

＊5　二〇一五年に発表された風刺的なエッセイは、フェイスブックがフィードを完全に管理するようになったら、「ニュース」がどのようなものになるかをすでに想像している。

　フェイスブック社の新しいジャーナリズムへのイニシアティブに関する、予定されていたインタビューを前にして、あの驚異の人、マーク・ザッカーバーグは昨日、自分は歴史上最も偉大な人間であり、フェイスブックは最高の発明品であるという確信を胸に抱いて、新しい夜明けを堂々と迎えた。いつものように、アドニスを思わせる颯爽《さっそう》とした美青年、ザッカーバーグ氏は、同僚の者たちに対して、彼らしい無私の気遣いをすることから一日を始めた。ターゲットとしたアパートの清掃——これはあなたの大学の卒業生には割引される——の広告から得られる利益などについては考えもしない。まして、世界制覇のマスタープランについても考えない。これは、人々をテクノロジーの力で麻痺させ、奴隷化して——人々は強迫観念に囚われたようにクリックし、スワイプし、受動的に「いいね！」するだけの存在となる——それによって成し遂げられる。間違った情報をもとに、とんでもない理論を提唱する者たちは厳罰に処されるということを、この雑誌は強く示唆している。（Teddy Wayne, “Mark Zuckerberg Is the Greatest and Facebook Is the Best,” *New Yorker*, 21 May 2015, https://www.newyorker.com/humor/daily-shouts/mark-zuckerberg-is-the-greatest-and-facebook-is-the-best）

＊6　次の記事を参照されたし。Matteo Galizzi and George Loewenstein, “The Soda Tax as a Measure for Sustained Change in Consumption,” *Vox*, 14 June 2016, https://voxeu.org/article/beyond-nudging-case-uk-soda-tax

＊7　Sarah Kendzior, “Gutting Net Neutrality Is Death Knell for the Resistance,” *Globe and Mail*, 26 November 2017, https://www.theglobeandmail.com/opinion/gutting-net-neutrality-is-a-death-knell-for-the-resistance/article37088279/

＊8　これはジョン・オリヴァーが二〇一四年六月、HBOの『ラスト・ウィーク・トゥナイト』で述べたことだ。Sarah Kendzior, “Gutting Net Neutrality”を参照されたし。最初のほうで、オリヴァーは次のジョークを披露した。「ネットの中立性。二単語の英語で、これ以上の退屈を約束する

フレーズは〝出演はスティング〟だけだ」。

＊9　John Cassidy, “Why Did the European Commission Fine Google Five Billion Dollars?,” *New Yorker,* 20 July, 2018, https://www.newyorker.com/news/our-columnists/why-did-the-european-commission-fine-google-five-billion-dollars?

＊10　Brody Mullins, Rolfe Winkler, and Brent Kendall, “Inside the U.S. Antitrust Probe of Google,” *Wall Street Journal,* 19 March 2015, https://www.wsj.com/articles/inside-the-u-s-antitrust-probe-of-google-1426793274

＊11　Michael Schulson, “User Behaviour,” *Aeon* (Fall 2015), https://aeon.co/essays/if-the-internet-is-addictive-why-don-t-we-regulate-it

＊12　Natasha Schüll, Addiction by Design: Machine Gambling in Las Vegas (Princeton: Princeton University Press, 2012).（ナターシャ・ダウ・シュール『デザインされたギャンブル依存症』日暮雅通訳［青土社］）。

＊13　Laura Noren, “Can Objects Be Evil? A Review of ‘Addiction by Design,’” *Social Media* Collective, 6 September 2012, https://socialmediacollective.org/2012/09/06/addiction-by-design-review/

＊14　Maggie Balistreri, *The Evasion-English Dictionary,* rev. ed. (New York: Em Dash Group, 2018)

＊15　Manjoo, “We Have Reached Peak Screen.”

＊16 Schulson, "User Behavior."

＊17 プラトンの分裂したプシュケーの概念は、彼の著作のすべてに登場するが、特に生き生きと語られるのが『国家』と『パイドロス』である。後者の対話には、二頭の馬を操る戦車の理性的な馭《ぎょ》者《しゃ》という、有名なイメージが現われる。一頭の馬は乱暴で、もう一頭は元気がよく、しかし高潔であろうとする性質を持つ。この考えを扱った最近のパロディでは、御しがたい内面の委員たちの会合として「個人の精神」が思い描かれる。睡眠、糖分、水分、蛋白質《たんぱくしつ》、そして（とりわけ）アルコールが、主体にとっての優先順位をめぐってせめぎ合う。Hallie Cantor, "My Brain: The All-Hands Meeting," *New Yorker*, 24 August 2015. http://www.newyorker.com/magazine/2015/08/24/my-brain-the-all-hands-meeting

＊18 Levy, "Autonomy and Addiction," 437 and 442.

＊19 同書、443.

＊20 自己管理はこのところ、学界でも一般においても、数々の著作を生み出している。その多くは、高く評価されたスタンフォード大学の「マシュマロテスト」を扱っているのだが、このテストは子供が満足を先送りできる能力について調査し、思考や行動において成功する策略とその能力とを結びつける――学力テストの点数が高く、肥満度指数が低いといったことも含まれる。最もわかりやすい説明は次の本である。Walter Mischel, *The Marshmallow Test: Mastering Self-Control* (Boston: Little, Brown, 2014).（ウォルター・ミシェル『マシュマロ・テスト――成功する子・しない子』（柴田裕之訳［早川書房］）。

＊21　たとえば、次のスピーチを参照されたし。Tristan Harris, “The Need for a New Design Ethic,” a TED Talk archived at http://www.tristanharris.com/the-need-for-a-new-design-ethics/

＊22　Joe Edelman, “Choicemaking and the Interface,” nxhx.org（July 2014）, http://nxhx.org/Choicemaking/

＊23　Rem Koolhaas, *Delirious New York*（New York: Monacelli, 1978）（レム・コールハース『錯乱のニューヨーク』鈴木圭介訳［筑摩書房］）とJan Gehl, *Cities for People*（Washington DC: Island, 2010）（ヤン・ゲール『人間の街——公共空間のデザイン』北原理雄訳［鹿島出版会］）を参照されたし。

＊24　「私は退屈が最悪の拷問の一つだと確信している」とフロムは*The Dogma of Christ*のなかで書いている。「地獄を想像するなら、それは我々が常に退屈する場所であろう」。Erich Fromm, *The Dogma of Christ*（New York: Holt, Rinehart & Winston, 1955）, 181.

＊25　Colin Ellard, “Streets with No Game,” *Aeon*（1 September 2015）, https://aeon.co/essays/why-boring-streets-make-pedestrians-stressed-and-unhappy

＊26　Rachel Metz, “Your Smartphone Can Tell If You're Bored,” *MIT Technology Review*（2 September 2015）, https://www.technologyreview.com/s/540906/your-smartphone-can-tell-if-youre-bored/

＊27　Dean Daley, “The ‘Substitute Phone’ Is Supposed to Help People with Smartphone Addiction,” *Financial Post,* 28 November 2017, http://business, financialpost.com/technology/

personal-tech/the-substitute-phone-is-supposed-to-help-people-with-smartphone-addiction

＊28 David Foster Wallace, "Laughing with Kafka," *Harper's Magazine* (July 1998), 23-7.

＊29 Paul Virilio, *Speed and Politics*, Trans. Mark Polizzotti (New York: Semiotext(e), 2006), 156-7.（ポール・ヴィリリオ『速度と政治――地政学から時政学へ』市田良彦訳［平凡社］を参照した）。

＊30 Annalee Newitz, *Autonomous: A Novel* (New York: Tor, 2018).

＊31 同書、116.

＊32 同書、263.

第4部　前に進むには

―気分《ムード》の報告―

霊知を持ち、皮肉で、思慮深く、夢見がちである。

真の旅行者は退屈を苦痛というよりも心地よいものとして捉える。
それは彼の自由の象徴――過度の自由の象徴だ。
彼は退屈が訪れればそれを受け入れる。
それも、哲学的にというだけでなく、喜びをもって受け入れるのだ。

オルダス・ハクスリー『余白に』
(1923年)

厳格な陶酔

では、差し当たって、交差点に来るたびに——少なくともグーグル・マップとカーナビの登場以前は——発していた質問をここで発しよう。ここからどこへ行こう？　答えを見つけようとするなら、ここでも古いタイプの地図を読む者たちのように、自分たちがたどってきた道を振り返ろう。

退屈という主題は、文化的な状況、特にテクノロジーの状況に伴って、その言語形態や様相を変え続けている。退屈に関する最も深遠な哲学者たち——すでに見てきたように、ショーペンハウアー、キルケゴール、ハイデッガー——は、永遠の形而上学的な真理を求めて、その領域の見取り図を作ろうとした。ほかの者たちはこうした実存主義的な説明を否定したり、退屈の霊的・進化的・創造的利用を強調したりした。しかし、明らかな真実は、退屈が特定の状況から切り離せないということ、そして、その状況がいかに人間の意識との関係で構成されてきたかからも切り離せないということである。退屈は単純に起きるのではなく、ときには意図的に作られる。退屈の経験自体にも、共通する特徴があるかもしれない——落ち着かなさや、トルストイとアダム・フィリップスの言う「欲望への願望」など。しかし、社会的かつ政治的な文脈もしっかりと見なければ、退屈の力を正確に見積もることはできない。テクノロジーの問題をテクノロジーで解決しようと主張する人たちは、自分たちの新しい道具のより広範に及ぶ利点をいつも褒めちぎる。では、より広範な社会的利点がすでに我々のなかにある潜在能力であり、解き放たれるのを待っているのだとしたら、どうなるだろう?

退屈は、近代以降の個人主義や長くなった余暇の時間と関係があるとされてきた。それはある程度まで真実だが、ここで我々がもう一度注目しなければならないのは、退屈のもっとさかのぼった先祖であるアケーディア、あるいはアクシディ、つまり「日中の悪魔」である。それは、修道院にこもった僧たちを苦しめたとされる、すべてのことに対する無関心と無為。このトマス・アクィナスが「世界の悲しみ」と呼ぶものは、物事に関して気乗りしない状態であり、近代の憂鬱症とも、その同系の怠惰という罪とも結びつきがある。神から授かったものに対する義務を怠ったと考えられ、おそらく自殺による死に至る道への一歩、聖霊への侮辱とも考えられる。この伝統を現代に引き継いだジャン＝シャルル・ノールトは、アクィナスとアリストテレスの美徳を、近代の悪や我々に頻発するアケーディアに対抗するものとして弁護する。「日中の太陽がすべてをめぐるめくような光に包んでも、アケーディアははっきりとしない病のように、それに苦しむ人の心を倦怠という灰色の霧のなかへ、そして絶望の闇へと追い込むのだ」とノールトは言う。「アケーディアは持続する。それは短期的な危機ではない。根本的で慢性的な悪であり、神を熟視するためにある知性が、精神《ヌース》が押さえつけられてしまうのだ」[*1]。

この慢性的な状態から脱却するための、唯一の信頼できる道は徳の高い行動である——自己の適切なアイデンティティを発揮し、目的に沿って、卓越した振る舞いをすること。「道徳的な行動とは目標に向けられたものだという、聖トマスの言葉を忘れないように」とノールトは我々に申しつける。「目標は行動に意義と意味を与えるもので、ゆえにその行動は至福につながり、その準備となるのである。この観点から、アケーディアは道徳的な生活をナンセンスにしてしまう誘惑として現われる。こうして、この悪徳の深く非道徳的な性質が明らかになる——アケーディアは、不条理が人生の結論かもしれないと認めてしまうのである」[*2]。

不条理は実際に人生の結論かもしれないのだが、きちんと考察された不条理は行動と両立しないわけではない——まったく逆である。より近い過去の世俗的な退屈は、すでに見てきたように、よりありふれていると同時に深刻さも乏しい。

「退屈、絶望、自暴自棄などは、いつの時代も存在した。そして、我々がいま感じているのと同じように、過去においても痛切に感じられてきた」とオルダス・ハクスリーはアケーディアの進化に関するエッセイのなかで述べる。いかにアケーディアは都会の刺激過多との関連で、より近くて民主的なものとなったか。「何かが起きて、こうした感情が敬意や明言に値するものとなった。それはもはや罪深いものではなく、病の兆候と見なされることもない」[*3]。退屈の道徳性も同様に変わった。かつて神に対する侮辱だったものが、いまではしばしば子供っぽい、または未熟な精神の苦痛であると考えられる。悪に乗っ取られた、あるいは絶望に苛《さいな》まれた精神のものというより、興味を維持する能力のない人のものだと考えられるのだ。その一方で、人がどことなく誇らしげに、自分は「すぐに退屈してしまう」と言うのもときどき耳にするだろう。まるで退屈することが識別力の高さを、安易に喜ぶ気がないということを表わしているかのように――実際には、精神的な弱点を表わしているかもしれないのに。

しかし、退屈している人にとって――そして、一度も退屈していない人はいないと思うが――退屈は決して些細なことではない。極端なケース、たとえば独房で長期間拘留されている囚人とか、配備された歩兵とかが経験するものは、一種の拷問にも等しい。そこまで派手ではなくても、ときどき目にするように、退屈は世俗的な浪費や不快感につながる。その痛切さの程度はどうであれ、退屈は自己と世界との関係における停滞、あるいは障害となるのである。この停滞を打ち破ること、あるいは障害を突破することは、長いこと強制的に暗闇に住まわされたあとで、陽光のなかに出るかのような感じがする。私はいま、自分自身をどう処したらいいかわかっているし、もう一度目的をもって行動することもできる。しかし、あらゆる退屈が、この自己から世界に対する現象学的な関係に基づいているために、その正しい説明に至るのは難しい。正確に言えば、なぜ人はほかの誰かを退屈な人だと考えるのか？　同様に、なぜまったく同じ行動が――オペラを聞く、釣りをする、野球の試合を観るなどが――ある人には至福の時で、ある人には責め苦なのか？[*4]（客観的に言って退屈なもの、場所、人々がいる可能性の余地は残しておきたいが、この主張は不必要な認識論的重荷を背負ってしまうように思われる。退屈なものがあるにしても、その退屈を感じるべき人がそこにいないとしたら、それは退屈なものだと言えるのだろうか？）。

二番目の質問に対する答えの一部は、「好み」の問題という、絡み合った藪《やぶ》の下に埋もれている。それは、ヴェブレンも教えてくれたように、美的かつ文化的な概念のなかでも最も当てにならないものだ。それを説明することはできないので、「好み」はここでの議論の助けにはならない――あるいは、芸術の哲学や、ポピュラー音楽についての深夜の議論において「好み」が助けにならないのと同様に。ピエール・ブルデューが主張するように、我々の好む娯楽、服装や余暇のスタイルについてのこだわり、我々の習慣全体は、我々が占めている社会的かつ文化的位置に正確に一致している――これは、まったく驚くべきことではない。[*5]これに関する議論は不可能であるし、それはカント的に「好み」の二律背反を強調したところで、変わりはないのである。我々が互いの経験を知ることができないからではなく、むしろ「好み」の構造が事実上、社会・文化的なもので、個人的なものではないからなのだ。

ここまで来ると、多くの人々は退屈に関する決定的な説明を求めて、再び心理学に目を向ける傾向がある。主流の言説が、かつては哲学の領域内だと考えられていた問題や状態を説明するのに、心理学的な説明に向かうのとちょうど同じだ――悪、幸福、実存的気分などの問題である。そして、この分野だけでも、そのテーマの文献は膨大にある。その結果は、やはり意外なものではない。退屈は、興奮のレベルが耐えられないほど落ち込んだ状態であり、それは新しい刺激を通しての「治癒」が可能である。あるいは、精神的なエクササイズを通し、こうした「精神の罠」を避けることができる。「精神の罠」には「物事の先送り」と結びつくものもあり、それは退屈と密接な関係がある（すでに述べたことだが、どちらも失われた第一次の欲望に関する第二の欲望があるという状態である。自分はここにただ座っているのではなく、ほかのことをする欲求を持ちたい。自分は税金の問題を片づける欲求を持ちたいのだが、それに取り組めない）。*6

しかし、どんなに正確で有用なものであっても、退屈に関する心理学的な説明は、常に二つの重要な点を逃しているように思える。第一の点は、ハイデッガーによって――ショーペンハウアーによってもだが――最もはっきりと明言された古い洞察だ。繰り返しになるが、言っておこう。おそらく退屈は我々が逃避しなければならないものではない。それは考察に値する、より一般的な実存の病の重要な兆候である。結局のところ、退屈がほかに何をし、何になろうとも、それは世界とそこにいる我々の問題の現われなのだ。第二の点は、近代資本主義社会に関するより大きな、全体的な批判の一部である。もちろん、こうした批評的な取り組みを――特に、ネオリベラル的グローバル資本主義をめぐる必然性のイデオロギーを考えれば――笑うこともできるが、我々は現代の退屈が単に近代以降の産物というだけでなく、特に政治的に構築された仕事と余暇の作用によると気づかなければならない。こうした分析に基づくと、退屈はそれ自体、資本主義イデオロギーの一つの形であり、インターフェースに特有の自己矛盾する前提によって助長されるものである。

我々、いま蔓延っているスマホ中毒者たちが、退屈とは心理的なものを超えた要因――個人としての個人を超えた要因――によって起こされるのだということを充分に理解すれば、スクリーンから我々の精神状態に対する影響の動的関係のラインが見えてくるはずだ。これは明白でなければならないのに、いまだに心理的な自己管理を過度に重視する者たちによって否定され、あるいは無視されている。人間が心的な刺激に反応するときの、その精神の弱さ、特に意思の弱さについては、証拠が豊富にあるのに、外的要因を否定することになってしまうのだ。こうして我々は、現代の退屈の最も鮮やかな風景へと戻る――目をスマートフォンのスクリーンに釘《くぎ》づけにしている人、あるいは一緒に座っている数人の人たちが、指をひたすら弾くように動かしている姿。彼らは何を求めているのか？　何を求めていないのか？（この行動の反復は、私が同じイメージを意図的に繰り返すことと重なり合う――平均的な一日に、我々は何度くらいこの光景に出くわすだろう？）。

こうした人々はその瞬間、退屈していない。あるいは、少なくとも問われれば、退屈していないと言うだろう。要点は、この行動が潜在的な退屈を寄せつけないためのものだということだ。閉塞状態が現われるのを未然に防ぐのである。同様にここでは、外見上は落ち着いていても、ある種の不安が働いている。人々は何一つ逃したくないし、流行から遅れたくない。自分の内的な思考に頼らなければならない状態にも陥りたくない――同じ気持ちでスマートフォンをいじくっているテーブルの仲間たちと会話をするなんて、とてもではないが考えられない。ここで見られるのは、簡単に言えば、自己と欲望との遭遇をできる限り避けようとする寡黙ながら必死の試みであり、それはいつでも失敗に終わる運命なのだ。退屈は、お祓《はら》いされているために目には見えないが、それでもあらゆる光景に取り憑く幽霊なのである。

依存症的な側面は、以前にも論じたように、スクロールから満足を見出そうとする果てしない探求にある。ある種のデバイスやプラットフォームで作られるインターフェースは、満足を約束しながらも、それを与えないようにうまくデザインされている。もう一度辛い現実に向き合おう。フェイスブックは尽きることのない餌《フィード》だ。ツイッターはメッセージをぺちゃくちゃと発し続け、友人や仕事の同僚からのテキストは流れ続け、電子メールのボックスが空になることはない――哲学的に言えば、こうしたものはネズミを使った実験の餌箱のようなもので、正しいボタンを押すことさえできれば、永遠に餌が与えられるのである。すでに見てきたように、メディアもほかのあらゆるドラッグと同じだ――その依存症のパターンは、明らかにより肉体的な依存症と、単純に似通っているわけではないが。ドラッグや依存症といったレッテルを貼ることには慎重になるにしても、メディアがその有害な性質に対する充分な配慮をもって扱われなければならないのは、実に明白な話である。メディアは中立ではない。依存症的な行動へと我々を駆り立てるように、埋め込まれた傾向がないわけではない。それどころか、それこそメディアがやろうとしていることだ——そして、我々がそれを許している限りは、彼らの思惑は成功する。いま、それに対抗する産業が現われているのも不思議な話ではない。記事や本で、沈黙や孤独、メディアからの休息などを擁護するものが登場しているのだ。[7]

このことは言っておこう。沈黙は、退屈について研究するのと同様、我々の欲望とそのもつれに関する問題を解決することにはならない。死という、欲望の最終的な解消以外に、それはできないのだ！　しかし、退屈への正しい態度は厳格な陶酔であるとハイデッガーが言ったのは正しかった。ジョン・ケージ（訳注：アメリカの二〇世紀の作曲家で、演奏家が登場しながら何も演奏しない「4分33秒」で有名）は次のように言ったとき、真剣なモットーを、あるいはマニフェストを、発していたことになる。「あるものが二分間経《た》って退屈なら、四分間試してみろ。それでもまだ退屈なら、八分間、一六分間、三〇分間といった具合に試してみろ。最後にはそれがまったく退屈ではなく、とても興味深いとわかるはずだ」。しかし、もちろん、最初にまず基本的な反応——単に凡庸というより、広く深く感じられる反応——を克服しなければならない。芸術家が我々を騙している、思考を刺激するために悪戯《いたずら》を仕掛けているという反応だ。

退屈に関する最近の書き手は、「4分33秒」を「この戦略を使ったケージの最も有名な例」と呼び、次のような警告を発する。「これは大きな問いかけであり、音楽史において問題含みな存在であり続けるケージのような者にとって、必ずしもうまくいっているわけではない」。しかし、この判断は、このように表現されると平凡である。「問題含み」というのが、どことなく「気がふれた」とか――さらに悪いのは――正常な判断を下す能力を欠いているといった意味に響いてしまうのだ。「あなたはいかに聴衆を退屈させつつ、聴衆に嫌われることを避けられるか？」とその批評家は問いかける。*8 その理由は、目立たない前衛芸術家にとっても、聴衆に嫌われるのは本当に、本当にひどいことだからだそうだ！ 同じ批評家はこうも言う。「現代芸術の多くは意図的に単調で、ゆっくりで、反復的であろうとする――ジョン・バルデッサリの〝私は退屈な芸術作品をこれ以上作らない〟という宣言でさえ、それが何度も繰り返されるという形で示される。私は退屈な芸術作品をこれ以上作らない、私は退屈な芸術作品をこれ以上作らない、私は退屈な芸術作品をこれ以上作らない……これは真剣なモットーというより、メタレベルの冗談なのだ」。批評家への注釈――そう、冗談だよ！ 同時に、真剣なモットーでもある。この皮肉な効果は、退屈にはならないという声明を退屈な芸術作品にしたことで成し遂げられている。冗談と真剣な意図とは、結局のところ、両立しないわけではない。

いまだにアメリカ文化のなかで持ちこたえているように思われる、皮肉の通じないゾーンを除いて[*9]。

このように、退屈な芸術作品を真剣に受け止めようとしない態度は無害で、すがすがしくさえ見えるかもしれないが、実のところ危険なナンセンスであり、「常識」を装った知的俗物根性である。

例として、エルンスト・ゴンブリッチのかつて正統と考えられた「退屈の喜び」を取り上げよう。これは、芸術の規範の制限を緩める点で、目的のない落書き――創造的な退屈の一つの形だ――を賛美する。ヨーロッパ大陸からのより鋭い介入は言うに及ばず、ゴンブリッチの考えなどは、挑戦的な芸術を真剣に受け止めようとしないアングロサクソンの横柄な言い逃れのなかにうずもれてしまうようだ[*10]。こういう態度でいると、ゴンブリッチの洞察の持つ力を逃してしまう――「喜びは退屈と混乱のどこかあいだに存する」という洞察。つまり、我々がカントの言う無目的な合目的性をいくらかでも知覚し、はっきりと焦点を絞られていない始原的な意味を知覚する識閾《しきいき》の状態に、喜びは存するのだ[*11]。この喜びを無視することは、創作家にとっても見る側にとってもよくない。究極的に、アラン・ド・ボトン（訳注：スイス生まれでイギリス在住の哲学者）やマルコム・グラッドウェル（訳注：カナダのジャーナリスト）――どちらも現行の仕組みに対してニコニコとかしずく者たち――の最も怠惰な文章よりもずっと悪いのである。思想に関する流行の考え方ではあるが、本当のところはミドルブラウな文化産業の産物にすぎない。アドルノができの悪いハリウッド映画について言った、映画館に行くたびに「いっそう愚かになり、それ以上に悪い状態になったように感じる」[*12]というようなもの。こうしたコメントは、時代の現われであり、洞察に欠ける。いわゆる退屈に関する思考が、それ自体退屈なだけでなく——それはこのテーマに隠れている逆説だが——インターフェースの最悪の傾向を模倣しているのだ。簡単に言うと、文化の分析を知的に装って悦に入っているだけで、テレビのパネルディスカッションと変わらないのである。

では、退屈な芸術作品について、退屈についての芸術作品について、芸術体験における退屈が占める位置について、真剣に考えよう。モダンアートは多様な手法で退屈という状態に取り組み、利用し、展開した。[*13]ジョン・ケージの時間に関する言葉は、古典的で本質的な位置をはっきりと示している。彼は、退屈の問題は知覚されるものにではなく、知覚者にあると示唆することで、広範な美的追究を始める。そのような場合、もっと多く、もっと長くを求めろ。この厳命は、ケージが禅の思想に興味を抱いていたこととも一致する——マントラ、あるいは呪文を唱えることの持つ力、儀式的な反復と拡張とで普通の知覚を突き通すことなど。彼は知覚されるもの（「それ」）がある時点で退屈ではなくなると示唆することで、主張をほとんど覆すが、真の要点は、我々知覚者がもはやそれを退屈とは感じない叡智《えいち》の地点に到達するということだ。我々が変わったのであって、「それ」が変わったのではない。というのも、「それ」は結局のところ、いつも同じものであったし、同じことの繰り返しなのだから。このような精神で取り組むなら、これはジュリアン・ジェイソン・ハラディンが「退屈への意思」と呼ぶものの例である――退屈の可能性を原則に基づいて実践し、意味や感覚の既存の枠組みに抵抗すること――つまり、ヴァルター・ベンヤミンが言ったように、我々を「偉大な行為の入り口」に置くことなのだ。[*14]

スーザン・ソンタグも出版されたノートブックのなかで、芸術と退屈の関係について次のように述べている。「人は〝これは退屈だ〟と言う。まるでそれが魅力の最終規準のごとく、人を退屈させる権利が作品にはないかのように。しかし、現代の興味深い芸術作品はたいてい退屈だ。ジャスパー・ジョーンズは退屈だ、ベケットは退屈だ、ロブ＝グリエは退屈だ、などなど[*15]」。実際、メルヴィルからデイヴィッド・フォスター・ウォレスまで、こうしたリストはいくらでも続けられる。しかし、最も印象的なのは、「退屈させる権利」の問題を取り上げた点だ。どうして芸術はこの権利を否定されなければならないのか？　それ以外の人間の経験や生産物は、ほとんどすべて、ときによってこの権利を行使しているはずだ。爆弾の爆発や「きびきびした」会話でいっぱいの騒々しいアクション映画でさえ、退屈なときはあるし、ときには苦痛なほど退屈である。「おそらく芸術はいまこそ退屈であるべきなのだ」とソンタグは考える。といっても、退屈な芸術が必ず素晴らしいといった見解を認めるものではまったくない。明らかに違う。しかし、「我々はもはや芸術が楽しみや気晴らしを与えてくれるものと期待してはいけないのだ。少なくとも、高級芸術はそういうものではない。退屈は関心の作用なのである」。ソンタグは最後の点をさらに敷衍《ふえん》するが、それは我々の目的にとって啓発的である。我々が作品をしばしば退屈だと感じるのは、それが要求する種類の関心を抱くキャパシティを欠いているからだというのだ。ときに最高の芸術作品とは、我々にその味わい方を教えてくれるものである。理解に手間取るような景色や楽しみが、趣味を磨くのに適しているように。ひと言で言えば、我々はある芸術作品が退屈に思えるからといって、ほかに考慮すべきところがないかのごとく、それを拒否すべきではない。退屈な芸術は、哲学的考察を加えられた退屈それ自体と同様、深い考察へと誘う機会なのである。

念のために言うと、私自身はジョン・ケージの『4分33秒』を退屈だと思ったことはない。学生にも定期的にこの曲の演奏を生《なま》か映像で聞かせるのだが、彼らもこれを退屈とは感じていない（『4分33秒』のアプリについては、自分がどう感じるか定かではない。このアプリはアイフォンにダウンロードでき、あなた自身のこの曲の「演奏」を録画してシェアできるのだ）[*16]。要点は、関心を掻き立てて退屈を感じなくしようとするのではなく、そもそも何かが退屈であるという我々の知覚を問い直すのだ。ケージの『4分33秒』は、実際には退屈についての作品ではない。退屈という経験を美的かつ哲学的な目的に意図的に導くものではない。それよりも、これは時間と沈黙と音についての作品だ――何が音楽の創作と演奏を成り立たせるのかについて、適切な哲学的究明をしようとする一方で。現代芸術と退屈についての重要な洞察は、とてもありがちだが、それよりもアンディ・ウォーホルによってもたらされた――「〝僕は退屈なものが好きだ〟と言ったとよく引き合いに出されてきた。確かにそう言ったし、それに間違いはない。ただ、そういうものに退屈させられないという意味ではない[*17]」。

多くの芸術家がこの逆説の豊かな鉱脈から作品を生み出しきた――退屈なものは、退屈だから好きだという逆説だ。マーティン・パーの絵葉書、状況主義者《シチュアシオニスト》（訳注：高度資本主義の成功を「社会の機能不全」、「日常の劣化」を引き起こしたものとして退け、それと対称的な「状況」を作り出すことによって、根本的な認識の変革、社会革命を目指した前衛芸術運動）の「漂流《デリーヴ》」、つまり目的もなく都市を彷徨《ほうこう》する試み、ジョルジュ・ペレックがパリのある街角で起きることを単調に羅列していくことなども、その例である[*18]。ペレックの「普通以下」のものへのこだわり、何も起きないことへのこだわりは、「何も起きないときに何が起きるか」を露にする。特に注意を向けるのが市の定期バスの到着と出発で、そのためこの本はバスの時刻表のような様相を呈してくる――これもまた、その些細なことへの正確さという点で、広い意味でのインターフェースの一例だ。書名の原題にある「場所を使い尽くす試み」は成功しない。観察者は、退屈に入れ込むことを自らに課しながら、自分自身がどんどん退屈していくのだ。さらに重要なのは、「使い尽くす」のは無理だということがある。どの場所をランダムに選んだにせよ、特に多くのエネルギーが行き交う忙しい都会なら、単純に同じことが続いていく。つまり、何らかの「何でもないこと」が起き続けるのである。

「見えない委員会」（訳注：二一世紀の文明と社会の批判を主目的とするフランスの極左系のグループで、『これから起こる反乱』は彼らの著書）という、怒りっぽいが愉快でもあるニヒリストの集団は、現代の文化の偽「癒し系」的な性格に対し、暗めの喜びをこめて批判する。形だけの明るい身振りによって退屈を軽減しようとする試みが、失敗でしかないという批判だ。

「我々が交わし合う〝元気ですか？〟という呼びかけは、この社会が患者ばかりで、互いの体温を測り合っているような印象を与える」と彼らは『これから起こる反乱』のなかで不平を漏らす。「見えない委員会」にとって、退屈は現代の社会生活に固有の病である。それは、どんな社会にも、特に先進国の社会ならどこにでもいる、人々の孤立とナルシシズムのためだ。我々がそれに対処しようとするメカニズムは単に非効率的なのではなく、馬鹿げている。「社交は、いまは一〇〇〇もの小さなニッチでできている。あなたが避難できる、一〇〇〇もの避難所。それが外の厳しい寒さよりは心地よいのである」。彼らの聖戦は、彼らに一貫した政治的目的があると主張できる限りにおいては、無数の社会的・政治的な力に対抗すること。その力が、パリであれほかの場所であれ、あらゆる場所を「ハイウェイのような、アミューズメントパークのような、あるいはニュータウンのような外見と感触を持つものにしてしまう。純粋な退屈だ。情熱はないが、よく整理されており、空っぽで、凍りついた空間。登録された身体、分子のような車、理想的な商品以外には何も動いていない」[*19]。

この関連で、ジャン＝パトリック・マンシェットの実存的なノワール小説に言及してもいいかもしれない。彼の小説では、一九六八年以降の消費文化におけるブルジョワジーの退屈が、犯罪者による突発的な暴力によって破壊される。あるいは、J・G・バラードやミシェル・ウエルベックの小説も、より最近の荒涼たるトーンで、類似した主張をしている[*20]。オーストリアの巨匠、ミヒャエル・ハネケの映画、特に『ファニーゲーム』（一九九七年、リメークは二〇〇七年）と『隠された記憶』（二〇〇五年）は、中流階級の自己満足を鋭くえぐる。えぐる材料が、侵入してくる執拗《しつよう》な暴力と、愚鈍な特権生活を生きるのに必要な知識の抑圧といった要素だ。生産とその最も強力な特性である退屈との社会的関係を描いた、不気味で夢幻的な、そして不安を煽る芸術作品群。それらは単調とはまったく言えない。後期資本主義、特にポストモダン期の日常のスペクタクルは、満足の看板の下、我々に不満を貯《た》め込ませるとドゥボールは言った。ハネケの映画は、ドゥボールの洞察に対する敬意を我々に抱かせる。これから背を向けること、道を外れることは、革命的な行為である。なぜなら、刺激がずっと続いているネットワークのど真ん中で、人を思索の状態へと導くのだから。我々はスペクタクルによって抹消された個人性や目的の痕跡を取り戻すために、スペクタクルから逃れて漂うのである。

こうした作品のための場はまだ残っている——それ自体が気力を失わせるような作品、退屈な芸術を退屈するためにこそ鑑賞させる作品だ。私がエンパイアステートビルについての本を書いたとき、アンディ・ウォーホルの一九六四年の映画『エンパイア』を通して見ようかと考えた。これは、この建物を一台のカメラで撮影し、それを八時間五分のあいだスローモーションで映写し続けるもの。[*21]そして、本当のことを言おう。私はすべてを見はしなかった。その部分的な理由は、ずっと見続けられないことこそ、この映画の要点の一部であるとウォーホル自身が断言しているからである。この巨匠とその作品について論争するのは私の求めることではない。

退屈な映画のトップテンを挙げていくことは、当然ながら、リスティクル（訳注：複数の項目を箇条書きにしてまとめた形式の記事）スタイルのジャーナリズムにおいて常に新鮮な誘惑である（『エリザベスタウン』、『イングリッシュ・ペイシェント』、ケヴィン・コスナーの破滅後の世界を描く『ポストマン』と『ウォーターワールド』はしばしばこういうリストに挙げられる）。しかし、『エンパイア』をこれらとともに挙げるのは、分類の誤りを犯すことだ。ほかの映画は観客を楽しませることを意図している——少なくとも、そしてうまくいかなかったにしても、それを目的の一つとしている。それに対し、時間と都会の記念碑的建物に果敢に挑むウォーホルの試みはそのように意図されていない。とはいえ、芸術作品が我々から何を求めているかは、必ずしも簡単に言えない。何年ものあいだ、私は傑作の誉れ高いヴィム・ヴェンダースの『ベルリン・天使の詩』（一九八七年）を観ようとしてきたが、そのたびに眠ってしまった。どんなにカフェインを摂取しても、どんなに堅い決意をしていても、日中であろうとも夜の早い時間であろうとも、この映画は間違いなく私を眠りの国に送ってしまうのだ。これは私のせいなのか、それとも映画のせいなのか？　この名高い芸術作品は、実際のところとても退屈な映画なのではないか？

今後のすべての研究に対するキーとなるかもしれない答えがこれだ。この映画は夢のようなものであり、まさに夢が退屈であるように退屈——啓示的であるとともに奇妙——なのである。芸術作品とは、ときには退屈であるからこそ、意識と秩序が支配する状態では理解できない「心の奥底」を覗《のぞ》くことができる。芸術がすることはこれだけではないし、退屈が教える教訓もこれだけではない。しかし我々は、普通の世界に対するしっかりした把握を失っていく感覚がどのようなものか、常に留意しなければならない。これを無意識からのテキストメッセージと呼んでもいいだろう——ＴＴＹＬ！（これはショートメッセージサービスにおける「あとで話そう《トーク・トゥ・ユー・レイター》」だが、ご存じないかもしれないので言っておくと、その起源は一九九〇年代のイギリスの若者言葉までさかのぼる。もう一つ注目に値するのは、二〇一八年中頃、テキストメッセージは人気の点でボイスメッセージとしのぎを削っており、それは後者のほうがタイプするよりも速く、より「人間的」だという理由からである）[*22]。

この「あとで」というのは、ここでもまた、物事を先送りする「あとで」ではない。恥辱のスパイラルと行動の麻痺へと落ち込んでいくような、果てしないタスクの延期とは違う。これは不気味に現われてくる疑問、だいたいにおいて摑みきれない疑問の「あとで」である――そもそもどうしてこれをするんだ？　これを続ける理由などないと退屈が仄めかしているように思えるとき、それでも続ける方途にはどのようなものがあり得るのか？　「ヒーア・イスト・カイン・ヴァルム」とナチスの看守がプリーモ・レーヴィ（訳注：ユダヤ人の化学者・作家で、アウシュヴィッツ強制収容所からの生還者）にこう言ったと伝えられる。喉の渇いた彼が氷柱を口に含もうとしたとき、それを奪い取った看守が、なぜそんなことをするのかと訊《き》かれたときにこう答えたのだ――「ここには〝なぜ〟なんて言葉はない」。退屈は強制収容所ではないが、それなりに拷問や監禁のように思えるものである。実際の監獄と同じように、我々の住んでいる世界から意味が体系的に抹消されていき、それとともに意味を成すキャパシティも失われていく。ここから脱出しなければならないと感じるが、よりいっそうの刺激と気晴らしで退屈に打ち勝つことでは、脱出はできない。そう、ほかの戦略を実行しなければならないのだ。

我々はここで、議会で言うように、討論を終結させなければならない。私は、退屈に関して本当に問題となるのは政治的なことであり、単純に個人的なものではないと主張してきた。マイケル・E・ガーディナーが言う記号資本主義《セミオキャピタリズム》は、ここでの目的にもまた有益である。「では、退屈は、ささやかな形ながら我々を混沌の脅威から――記号資本主義がもう少しで陥りそうになっている意味の消滅から――守ってくれるのだろうか?」とガーディナーは問いかける。「我々は退屈のおかげで、少なくとも〝意味という脚の遅い馬〟につなぎとめられる可能性を思い描けるのだろうか? 情報資本主義における解釈のニヒリズムに単純に押し切られてしまうのではなく[*23]?」。

これをもう少しわかりやすく解説しよう。ガーディナーが記号資本主義と呼ぶものは、私がインターフェースとネオリベラル的退屈と言うときに意図したことの少なくとも一部を表現している――すなわち、我々が現行の仕組みの経済的かつ社会的システムと相互作用する仕方、特にアレクサのようなデジタルサービス環境や、我々の文字どおり指先にあるスマートフォンなどによって日常の経験にもたらされるものと相互作用する仕方のことだ。記号資本主義という用語は、ガーディナーがエッセイの後半で使った（表面上は同意義の）表現、情報資本主義よりも好ましい。というのも、問題は情報というよりも意味それ自体だからだ。資本主義が我々の欲望を繰り返し巻き込むのは、我々が記号のシステムのなかにいかに配置されるかという問題であり、データのシステムのなかにではない。データは抽象的なものであるのに対し、記号は没入に導いて抜け出せなくなるような経験をもたらす――我々が望む意味、解放的な意味が、弾丸で穴だらけになった肉体《ボディ》から血が流れ出るように、政治体《ボディ・ポリティック》から流れ出ている状態であっても。

ガーディナーが言及する消滅は、決定的な意味のない記号の容赦ない流通によって引き起こされる。このように我々は、たとえば単にソーシャルメディアのフィードとフィードバックのループに取り囲まれているだけでなく、インターネット・ミームにも、イマジズム的な堂々巡りのイメージの群れにも取り囲まれている。これは、かつての状況主義者《シチュアシオニスト》の時代においては解放的と考えられたかもしれないが、いまでは可愛《かわい》い気晴らしでしかない。こういうコンテクストで「可愛い」が何を意味するのかについては、かなり気の滅入る分析が必要になりそうだ――特に、可愛いオブジェやイメージの経験はそれ自体が脳のドラッグなのだから。はしゃぐ動物、あるいはおかしな動物のＧＩＦ（グラフィックス・インターチェンジ・フォーマット）やユーチューブのビデオによって、ドーパミンの噴出が引き起こされる。可愛いものを求めるのは「ある種の悪徳だ」と一人の社会心理学者は言った。この学者は、より合理的で自己管理された精神状態に対して本能的な力を及ぼすという点で、この欲望を砂糖またはセックスになぞらえている。「我々は〝可愛い〟を一服やらずにいられないのだ……我々に喜びを与え、元気づけるものを」[*24]。

ドラッグは理性の永遠の敵であり、不節制という悪徳を促進するものである——ここまでは、アクラシア、つまり意志薄弱について古代ギリシャの哲学者たちが最初に論じて以来、明らかであった。我々は同様に、ドラッグとは精神または気分を変える薬品だけでなく、いろいろな形で現われるということも理解するようになった。退屈に関する哲学的な分析は、ここで本当に我々の助けになるのだろうか？　ガーディナーはある意味、退屈は自己の存在の位置を教えてくれるものだという、よくある哲学的な立場をアップデートしただけだ。退屈の暗い抱擁から逃れようとするのをやめれば、我々はペースダウンして、じっくりと吟味できるようになる。そうすれば、依存症を招く刺激の向こうに待ち構える、真のニヒリズムの危険を察知できるかもしれない。新しい言葉だが、古い指摘だ。いいとも、ペースダウンしよう。そうすれば、退屈とそれに付随するものを成り立たせる欲望の逆説に直面できる。でも、それってシステムのどこかを変えることになるのだろうか？

私は敢えてそれに疑問を差しはさむ。といっても、批評的にであれ、それ以外であれ、そうすることに喜びはほとんど感じないのだが。「広く認められているように」とガーディナーは認める。「このように退屈を理解するのは、純粋な社会変革の可能性を理解するのに必要な条件かもしれないが、充分な条件ではない」。その上、「純粋に個人による適応が、自助のテクニックと真摯な（おおかた無力ではあっても）抵抗が、失敗する運命にあることを受け入れなければならない。なぜなら、それらは我々の私物化されて商品化された人生経験の限界を超えることはないからである」。まさにそのとおり！「別の言い方をすれば、退屈が表現しているのかもしれないリビドーの負の投資に対しては、集団的な解決しかあり得ないのだ[*25]」。これもまた、そのとおり！

しかし、我々はもう一度、ここで使われている専門語や理論の重い荷物を解かなければならない。言い換えれば、退屈は左スワイプの時代に典型的な意味の止めどない抹消にブレーキをかける。と同時に、問題はあなた、ユーザーではないということも明らかにする。むしろ問題はインターフェースであり、さらなる哲学的分析を受けるべき構造的かつ経済的現実なのだ。しかし、その分析は我々がここで感じ取ったニヒリズムに抵抗するのだろうか？　残念ながら、そうではないだろう——少なくとも、それ単独では。むしろ、我々はニーチェのように、ニヒリズムの現実を受け入れなければならないと思う。つまり、世界にある唯一の意味は我々が作ったものだということ。そして、ここで何よりも厳しい質問を問わなければならない。二一世紀に我々が遭遇する新しいタイプの退屈に対して、ガーディナーが（そしてほかの人たちが）求めてきたような集団的な解決はあるのだろうか？

　ほかの多くの人たちと同様、私は退屈が「本当の絶望」を引き起こすとするショーペンハウアーの見解に永遠に取り憑かれている。兵士、囚人、ホームレス、そのほか惨めな人たちの退屈と比べれば、タッチスクリーンに夢中なティーンエージャーや裕福な人たちの退屈など、お笑い種《ぐさ》に思える。しかし、ここに認められる共通性を単純に無視することはできない。人間存在の悲劇は惨めな状況でも快適な状況でも引き起こされる。[*26] それが現実というものだ。ずっと昔――に私には思えるのだが、宇宙の時間で言えば一瞬である――私はほかの多くの哲学者たちと一緒になって、幸福は人間が追求するものとして間違っていると論じてきた。[*27] あるいは、もっと正確に言うと、「どうしたら幸せになれる？」という問いは正しいのだが、社会と政治のコンテクストに対する充分な考慮がなく、間違った追求のされ方をしていると論じてきた。幸福は個人的な現象ではなく構造的なものだ。そのため、手近にある刺激に何でも手を出して、刺激のない状態を避けようとし続けることは、本質的に臆病で一時的な行為である。その試みは自滅に終わるのだ。この幸福は空カロリー（訳注：蛋白質・無機質・ビタミンを欠く食物のカロリー）に等しい。我々はみなジャンクフードが美味しいが、栄養価はないことを知っている。それでも食べてしまうのは、我々の体に組み込まれた脂肪や糖分や塩分への欲求を短期間満たすことができるからだ。もちろん、空カロリーでもカロリーであり、それは欲求のサイクルを作り出すことで我々にもたらす害を倍加する。私はポテトチップやソフトドリンクを、ほとんど依存症と言えるほど好むようになっている。欲求を満たすことを基盤とした幸福は、フレンチフライを食べ続けることやネットフリックスを見続けることに近い。そのときはいい気持ちになるかもしれないが、あとで後悔する可能性が高いのである。

このように幸福に関する混乱の浸透を批判するのは、いまでも妥当であると私は思う。同様に、幸福の性質に関する概念を明晰にしておくことは、我々が人生のパターンを変え、手近にある社会的かつ政治的難問を理解する助けになると思う。私の本来の結論はアリストテレス的であった——欲望を満たすような幸福は、美徳と黙想、そして安らかな内面から生まれる正しい行為などによって置き換えられるべきである。この見解を、これまで変えることはなかった。実際、欲望を駆り立てて欲望を満たす（ということになっている）メカニズムはより洗練され、我々のテクノロジーへの没入はいっそう完璧になったのだから、我々が日常生活の病理を通して考える必要性はいっそう切実になったのだ。ある種の幸福は我々の手の届く範囲にあるが、それは我々が欲望を制圧できるからではない。求め続ける不安を——そのために退屈はインターフェースで厄介なものとなるのだが——制圧できるからではなく、むしろフロイトが指摘したように、そしてドゥボールとほかの者たちが我々に思い出させるように、我々は欲望の方向を変え、新しい解放的な形へと作り直すことができるからだ。漂い、放浪してよいが、自分を見失うのではなく、退屈するのではなく、人生の経験を受け入れる。ストレスと苦闘から精神は解き放たれ、自分自身のなかに平安を見出す。そこには特定のゴールはなく、実現されない計画もなく、欲望を不毛に求めるという逆説的なもつれもない。

ゴールはない。しかし、それでも目的はある。欲望の中断は死であり、対照的に人生とは、自己矛盾しない欲望である。それを自覚すれば、決して退屈することはない。あるいは……あるいは……仮に退屈してしまった場合は、哲学の偉大な先人たちのように、「物事を洞察するよい機会」だと考えてみよう。それ以外はあなた次第である。スワイプするな。そういうことはやめ、物事にこだわり、不思議に思い、内省し、そして何よりも汝《なんじ》の兆候を楽しめ――それ以外に楽しめるものはないのだから。ドゥボールがアドバイスするように、我々はみないかに待つかを学んでいる。それが我々の状態であり、コンテクストであり、危機であり、同時にそのすべてなのだ。退屈は前兆を示すが、解決策を示せるのは我々だけである。その上に、ほかの欲望をなぜ求める必要があるだろう？

ここに集団的な解決策はあるのだろうか？　正直なところ、私にはわからない。ただ、絶えず批判の目を凝らす――自分に対しても、自己の足場となる構造に対しても――という企てが、我々にできる最善策だと考える。哲学とは、こういう企てのことだと私は理解している。

幸福を果てしなく求める企ては、その傲慢なエネルギーを感じた瞬間、過酷な不幸へと向かうことが露になる。我々は自分自身からも自分の意識からも逃れられないのと同様、自分の欲望からも決して逃げられない。ならば、欲望を管理する必要があるのだろう。欲望を抑制し、あるいは形作る――自分の存在の肉体的な面に対してするように。しかし、それ以上はできない。こうした真実を受け入れることこそ、自分を愛するということだと思う。

死

というのも、我々はみな必死に忘れようとしているが、いずれ死ぬことは現実にある条件なのであり、だから退屈は、その兆候以上のものとは決して見なされないのである。

こうして我々は最後にたどり着く。私はもっと続けることもできるが、皆さんを退屈させたくはない。誰もこの世から生きたまま出られる者はいないが、それでも我々はみないかに待つかを学ばなければならない。こうした真実をあなたのスクリーンからスワイプして消すことはできないのだ。ネオリベラル的退屈は、すっかりお馴染みとなった闇雲な消費の狂騒によって、自己から永遠に離れてしまう。これを哲学的退屈に変えれば、停滞や静止の感情が――何もすることがないという日常の苛立ちが――思索の見通しを開くのだ。ここにおいても、悪循環が我々を取り囲む。内省は危険な営みだ。意識という贈り物も、結局のところ重荷である。そのための治療薬はない。

本はその性質上、読者に直線的な経験を与える。進んで拘束される形式だと言ってもいいだろう。もちろん、我々は選んで読んでもいいし、断続的に読んでもかまわないが、メカニズムとしての文章は常に我々を前へと進ませる。それでも、ジジェクが物語自体について言ったように、「出来事が直線的かつ〝有機的に〟流れるというのは」ある種の必要な幻想なのである。[28]出来事や行動と同じように、思考も箇条書きにしていくことで、直線的な秩序を持たせることができるが、それでも思考は手に負えない。前への確実な進行という制限をいつでも避けようと企てる。前進という幻想を無意識に受け入れていることは、物語をズタズタにしたり流れを変えたりして、「逆方向に進む」ことによってのみ明らかにされるとジジェクは言う。ハロルド・ピンターの『背信』（戯曲は一九七八年、映画版は一九八三年）や、心に取り憑くような映画『メメント』（クリストファー・ノーラン監督、二〇〇〇年）で扱われたような、物語の語り方だ。ときには終わりが本当のところ、始まりとなる。本の最後の議論がめぐりめぐって最初の問いかけに戻るとき、それは前に進んでいるように見えるものが、実際は直線というよりも円の連続だったということかもしれない。

　我々はぐるぐる回っている議論が、必ずしも堂々めぐりの議論ではないということを思い出さなければならない。そしてどのみち、堂々めぐりの議論も学問的には正当なのだ（結論は必ず前提から導き出される）。議論を健全なものにするため、我々は前提が真実であることも示さなければならない。少なくとも、ここで扱われた前提のいくつかは、真実であることが明白だ。退屈は苦痛として経験される。我々は多くの場合、それから逃れようとしたり、消し去ろうとしたりする。こうした努力は失敗に終わる運命だ。いや、もっと悪い。その努力のために我々は欲望と関心の経済に巻き込まれる。それは、自己にとっても幸福にとっても、かなり有害だということになりかねない。

しかし、我々が適切な社会的かつ文化的注意を払い、我々の意志の弱さにつけ込むメカニズムを暴露しても、退屈という根源の経験は残り続ける。それは説明して追い払えるものではなく、対決しなければならない。その対決には生きるか死ぬかの闘いが伴う。ソクラテスとストア哲学者たちによれば、死は我々を生まれる前と変わらない非存在の状態に戻す。死後にも何らかの存在があると想像しても（私はしないが）、いま我々が知っている生は、間違いなく未来のある時点で終わる。そして、この真実は人間の意識にとって免れようがなく、そのことは意識の存在自体と同じくらい確実だ。

フランスの「反人間主義」哲学者、ルイ・アルチュセールは、悪名高き鬱病者にして知的な詐欺師であるが、死後出版された異常な自伝『未来は長く続く』の最初のページで、妻のエレーヌ・ルゴティアンの殺害を告白している（本は一九九二年に出版され、アルチュセール自身は一九九〇年に死亡した）。これはショッキングな物語だ。最初は愛する妻の首に優しくマッサージしていたものが、最後は半ば意図した絞殺となる。「エレーヌの顔は微動だにせず、晴れやかな表情だ。見開いた両の目が天井を凝視している。突然、私は激しい恐怖に襲われた。エレーヌの目はいつまでも一点を見すえているし、それに加えて舌の先が、唐突な、しかし平然とした様子で、上下の歯と唇の隙間からのぞいているではないか。死人なら何度も見たことがあるとはいえ、首を絞められた女の顔は、生涯一度も拝んだことがない。にもかかわらず、これが女の絞殺死体だということはわかるのだ。いったいどうしたことか。私は跳ね起きて叫ぶ――エレーヌを締め《ママ》殺してしまった![29]」。そのとおり、あなたは殺しました。

アルチュセールは殺人の罪で裁判にかけられることなく、精神科病棟に送られ、そこで最後の日々を送った。彼の本はその長いキャリアのなかでも最も長いものだが、自分のありとあらゆる悪事を告白している。それには、読んだことのない古典の書物を読んだふりをするといった、彼特有のごまかしも含まれる(彼は〝スピノザは少し知っているが、アリストテレスはまったく知らず、ソフィストもストア派も知らない。プラトンとパスカルはよく知っているが、カントはまったく知らない。ヘーゲルは少しだけ、そして最後に、マルクスはいくつかの文章を読んだにすぎない〟)。批評家たちは、自己を否定するようなこの本は「死後の自殺」であると述べた。[30] タイトルは、この哲学者が生涯苦しんできた鬱病と退屈を示唆したもので、さまざまに訳されてきた――「未来は長く続く」(直訳だが響きが悪い)、「未来は永遠に続く」(こちらのほうがいいが、フランス語の

longtemps をこう訳すのは詩的効果を狙った超訳だ）。どちらにしても、ここには時間の重荷が感じられる。l'avenir は「未来」であるが、la future という言葉もある。このニュアンスの違いは英語では表わせない。ただ、手近なオンラインの自動翻訳では、前者が future であり、後者は The Future であるとする。このようにタイトルを考えると、la future が仄めかすのは現われつつある客観的な存在、時間の壁であるのに対し、l'avenir はこれから起こることを意味する。

どうしてこんな不気味な一連の事件にこだわるのか？　アルチュセールの事件は、我々のほとんどに起きることの極端なケースである。自分は何者なのかという強烈な自己不信だ。「反人間主義」の哲学に向かう者は多くないだろう。これは、人間の主体性が幻想であるとするものだ。人間は、「イデオロギー国家装置」の巨大なネットワークに囚われ、支配されている。体系的に職業上の詐欺行為をすることも、配偶者を殺すことも、人間の意思ではどうしようもない。しかし、我々のほとんどが、「自分はいったい何でここにいるのか、どうすればいいのか？」と自問してきたはずだ。これらは、結局のところ、基本的な哲学的問いだと考えられる。我々はいかにして自分自身にとっての幽霊であることをやめられるのか？　終わりのない、無限に繰り返される欲求の亡霊であることをやめられるのか？　我々が一緒に過ごす時間の終わりに――というのも、直線的に変換した円環的な本でさえ永遠に続くわけにはいかないので――我々は問わなければならない。これから何が起こり、どのように生き続けなければならないのか？　この局面において、l'avenir は savoir attendre（待つことを学ぶ）と出会う。再び、そして常に、時間は我々の手に重くのしかかる。それでも、人生はあまりに短い。このどちらも真実である。

退屈は、我々が死に直面しているというしるしであると同時に、生の痛切な裏づけでもある。欲望は複雑にもつれ合い、行き詰まり、自己矛盾し、暴力的であり、依存状態をもたらすこともある。

これは世界の終わりではなく、その始まりだ。我々は、再度退屈のなかで真に自分を見出せる。自分が何を一時的に失ったかを、つまり、自分自身をどう扱うべきかを、知ることができる。このようにして前に進み、人生を生きよう。いまこそ生きるときだ！　なんといっても、いまこのときしかないのだから。

注

＊1　Jean-Charles Nault, *The Noonday Devil: Acedia, the Unnamed Evil of Our Times* (San Francisco: Ignatius, 2015), 20, 27.

＊2　同書、109.

＊3　Aldous Huxley, "Accidie," in *Mass Leisure,* ed. Eric Larrabee and Rolf Meyersohn (Glencoe, IL: Free Press, 1956), 18.

＊4　野球が退屈だとされる問題について、私は次の本で考察している。*Fail Better: Why Baseball Matters* (Windsor: Biblioasis, 2017). アンドルー・フォーブスも、次の楽しい本で同じことに取り組んでいる。Andrew Forbes, *The Utility of Boredom: Baseball Essays* (Halifax: Invisible Publishing, 2016). 釣りと退屈に関しては、次の本を参照されたし。Kingwell, *Catch and Release: Trout Fishing and the Meaning of Life* (Toronto: Viking, 2003/4). どちらの形の余暇も――スプリングフィールド対シェルビーヴィルの試合で、ビールを奪われたホーマー・シンプソンが「俺はこのゲームがこんなに退屈だとは思わなかった！」と言うものの――私には退屈だとは思えない ("The Simpsons—Baseball's Boring," YouTube, 4 June 2011, https://www.youtube.com/watch?v=VlORWhsJjNM をご覧あれ)。オペラのファンとして熱心とは言えないので、ある人たちがそれに対して口にする退屈さに関しては、特に見解はない。しかし、ベンジャミン・ブリテンの長いオペラ『ベニスに死す』がトロントで上演されたとき（二〇一〇年）、興奮した一人の聴衆

が叫んだ言葉にここで注目しよう。幕が下りていくとき、彼はこう言ったのだ。「ハレルヤ、最後まで見たぞ！」。

＊5 Pierre Bourdieu, *Distinction: A Social Critique of the Judgement of Taste*, trans. Richard Nice（Cambridge, MA: Harvard University Press, 1984）.（ピエール・ブルデュー『ディスタンクシオン〔社会的判断力批判〕Ⅱ』石井洋二郎訳〔藤原書店〕）。

＊6 この「問題の先送り」について、私にはもっと言いたいことがある——もちろん、ある。というのも、これを書いたとき、私はもっとやりたいことを避けていたからだ！ Kingwell, "Meaning to Get To: Procrastination and the Art of Life," *Queen's Quarterly* 109, no.3（Fall 2002）: 363-81.

＊7 ニュアンスや見解には大きな幅があるものの、最近の例をいくつか示しておこう。Andrew Sullivan, "I Used to Be a Human Being," *New York Magazine*, 18 September 2016, http://nymag.com/selectall/2016/09/andrew-sullivan-my-distraction-sickness-and-yours.html; Michael Harris, *Solitude: A Singular Life in a Crowded World*（Toronto: Doubleday, 2017）; Anthony Storr, *Solitude: A Return to the Self*（New York: Free Press, 2005）; Katrina Onstad, *The Weekend Effect: The Life-Changing Benefits of Taking Time Off and Challenging the Cult of Overwork*（Toronto: HarperCollins, 2017）; Witold Rybczynski, *Waiting for the Weekend*（New York: Viking, 1991）.

＊8 Mary Mann, *Yawn: Adventures in Boredom*（New York: FSG Originals, 2017）. マンはその考察のための広い知的なコンテクストを探求しようとしない。また、「冒険」と副題に華々しく掲げ

たり、「荒野の教父と一緒のブースで」とか「バグダッドで退屈して」といった章のタイトルをつけているわりには――そして、ニューヨークからカンザスシティへの旅と、自宅のアパートから不意に大学の図書館へ、性玩具店のイベントへ、地元の映画館へと出かけるのを除けば――どこにも到達していないように思える。科学者から兵士――バグダッドで退屈しているのは彼らだ――まで、多種多様な人々にインタビューはするが、こうした人々は紗幕の向こうの幽霊たちのようで、その前の舞台には一人しか役者がいない。おそらくは必然的に、我々は憂鬱症患者の多い彼女の家族の歴史を知ることになり、彼女が簡単に苛立ってしまうことや、彼女を裏切った大学時代のボーイフレンドのことも知る（彼は退屈したのか？）。これはあまりに執拗に個人的な本であり、啓発的なところに欠けるので、理想的な読者はメアリー・マン本人だけであろうと言いたくなる。あるいは、彼女と必死に友達になりたがっている者だけだ。こうした人たちもいるかもしれないが、残念ながら、私はその一人ではない。

＊9　アメリカ人が単純に皮肉を「理解」しないというのは、多くのイギリス人（とカナダ人）が主張したがることだが、もちろん正しくない。それよりも、皮肉な発言や行動のコンテクストが明らかにならなければならないのだ。メタな動きは許されない。言い換えれば、その場で起きていることに対して皮肉っぽくなってはいけない。イギリス人の詩人、C・デイ＝ルイスは、ニコラス・ブレイクという別名で執筆した一連の推理小説のなかで、この点を明らかにしている。探偵のナイジェル・ストレンジウェイズは、ハーヴァードをモデルにしたアメリカの大学を訪ねている。もう一人、アイルランド人の多弁な訪問客がいて、ナイジェルは彼が社会的因習に対応する能力に驚嘆す

る。「ナイジェルにとってアメリカ人の会話の基本的規則と思われるものに、この男は順応したのだ——真剣にも軽薄にもなっていいが、同じ段落内で両方になってはいけない」。Nicholas Blake, *The Morning after Death* (New York: Harper & Row, 1966), 5.（ニコラス・ブレイク『死の翌朝』熊木信太郎訳［論創社］）。

＊10 E.H. Gombrich, "Pleasures of Boredom: Four Centuries of Doodles," in Gombrich, *The Uses of Images* (London: Phaidon, 1999), 212-25.

＊11 E.H. Gombrich, *The Sense of Order: A Study in the Psychology of Decorative Art* (London: Phaidon, 1994).（『装飾芸術論』白石和也訳［岩崎美術社］）。

＊12 Theodor Adorno, *Minima Moralia: Reflections from a Damaged Life,* trans. E.F.N. Jephcott (New York: Verso, 1974), 25.

＊13 Tom McDonough, *Boredom* (Cambridge, MA: MIT Press, 2017). この本は現代のアーティストや小説家の退屈に関する思索をまとめ、見事に並べたもので、ときどき巧みなグラフィックアートが挿入されている。

＊14 Julian Jason Haladyn, *Boredom and Art: Passions of the Will to Boredom* (Alresford: Zero Books, 2015).

＊15 Susan Sontag, *As Consciousness Is Harnessed to Flesh: Journals and Notebooks, 1964-1980* (New York: Farrar, Straus & Giroux, 2012); quoted in Maria Popova, "Susan Sontag on the Creative Purpose of Boredom," brainpickings, https://www.brainpickings.org/2012/10/26/susansontag-on-boredom/

*16 http://johncage.org/4_33.html

*17 Andy Warhol and Pat Hackett, *POPism: The Warhol '60s* (New York: Hutchinson, 1980). これは McDonough, *Boredom*, 70 に引用されている。

*18 Georges Perec, *An Attempt at Exhausting a Place in Paris*, trans. Marc Lowenthal (Cambridge, MA: Wakefield, 2010).（ジョルジュ・ペレック『パリの片隅を実況中継する試み』塩塚秀一郎訳［水声社］）。ペレックが観察のために選んだ交差点はサン゠シュルピスで、そこをさまざまなカフェから執拗に観察し続けている。

*19 The Invisible Committee, *The Coming Insurrection* (New York: Semiotext(e), 2009).

*20 マンシェットの最も成功した小説は『殺しの挽歌』（平岡敦訳［学習研究社］）、『眠りなき狙撃者』（中条省平訳［学習研究社］）など。J・G・バラードの『スーパー・カンヌ』（小山太一訳［新潮社］）とウエルベックの『素粒子』（野崎歓訳［筑摩書房］）は、豊かであるがゆえの退屈と、そこに潜む――かろうじて抑えられているにすぎない――暴力のつながりを見事に捉えている。

*21 Kingwell, *Nearest Thing to Heaven: The Empire State Building and American Dreams* (New Haven: Yale University Press, 2006).

*22 Pandora Sykes, "The Rise of the Voice Note, by Pandora Sykes," *Sunday Times*, 8 July 2018, https://www.thetimes.co.uk/article/the-rise-of-the-voice-note-by-pandora-sykes-25shns8rd

*23 Gardiner, "Multitude Strikes Back?," 45.

＊24　Nadia Kounang, "Watching Cute Cat Videos Is Instinctive and Good for You—Seriously," CNN.com, 20 January 2016, https://edition.cnn.com/2016/01/20/health/your-brain-on-cute/index.html

＊25　Gardiner, "Multitude Strikes Back?," 46.

＊26　たとえば、次の本を参照されたし。Bruce O'Neill, *The Space of Boredom: Homelessness in the Slowing Global Order* (Durham, NC: Duke University Press, 2017).

＊27　Mark Kingwell, *Better Living: In Pursuit of Happiness from Plato to Prozac* (Toronto: Viking, 1998); as *In Pursuit of Happiness* (New York: Crown, 2000).

＊28　Žižek, *Looking Awry*, 69.（ジジェク『斜めから見る』）

＊29　Louis Althusser, *The Future Lasts Forever*, trans. Richard Veasey (New York: W.W. Norton, 1993).（ルイ・アルチュセール『未来は長く続く』宮林寛訳［河出書房新社］の訳を使わせていただいた）。

＊30　Gilbert Adair, "Getting Away with Murder: It's the Talk of Paris," *Independent*, 2 July 1992, https://www.independent.co.uk/voices/getting-away-with-murder-its-the-talk-of-paris-how-louis-althusser-killed-his-wife-how-he-was-an-1530755.html

謝辞

批評行為は本質的に退屈の拒絶となる。
パトリシア・マイヤー・スパックス『退屈』（一九九六年）

この短い本の執筆は刺激的で挑戦的な試みであった。私が心からの、そして最大限の感謝を捧げたいのは、第一にマギル＝クイーン大学出版局のハディージャ・コクソンである。この本が構想されたときから協力してくれ、擁護してくれた。彼女の修正の提案には、大きいものも小さいものもあったが、それが本書のすべての部分を形成していった。実際、議論の中心的な流れは、我々の会話を通して発展したのである。彼女の努力なくして、本書は実現しなかったであろう。

本書のいくつかの部分は、以前にまったく別の形で発表したものから取られている。以下に挙げると、“Boredom and the Origin of Philosophy” in *The Boredom Studies Reader:*

Frameworks and Perspectives, ed. Michael E. Gardiner and Julian Jason Haladyn (London: Routledge, 2016); *Social Media and Your Brain*, ed. Carlos Prado (Santa Barbara, CA: Praeger, 2016); "Truth, Interpretation, and Addiction to Conviction," in *America's Post-Truth Phenomenon: When Feelings and Opinions Trump Facts and Evidence*, ed. Carlos Prado (Santa Barbara, CA: Praeger, 2018)。退屈、中毒、テクノロジーといった緊急のテーマについて、私に執筆の機会を与えてくれた編集者たちに感謝する。本書のいくつかの短い部分は、*Literary Review of Canada* と *Globe and Mail* で最初に発表されたものだ。それぞれの編集者、サーミシュタ・サブラマニアンとナターシャ・ハッサンにも感謝したい。

多くの友人や同僚との会話も、ここで取り組んだ問題に関する考察を豊かにしてくれた。特に感謝したいのは、モリー・ソーター、ジョシュ・グレン、サイモン・グレンディニング、アーサー・クローカー、ファン・パブロ・ベルムデス＝レイ、そしてカーロス・プラドーである。出版社の匿名の読者二人も、ありがたい提案をたくさんしてくれた。エルペス・ギブスンは文献情報のリサーチを手伝ってくれたし、ウェンディ・カルデロンとメアリー・ニューベリーは最終原稿をチェックしてくれた。

フロイトが――別のところでは犬好きとして記録に残っているが――よく引用されるフレーズ、「猫と過ごす時間は決して無駄にならない」を言ったという証拠はない。まあ、彼なら

「君たちは僕がそう言ったことにしたいかね？」と訊くかもしれない。それは、意味の世界において、猫を一段高いところに置くのだろうか？　我々は推測することしかできない。私はこれを言い換えて、私の猫たちと過ごす時間は決して退屈ではないと言おう。彼らの茶目っ気は本書を豊かにしてくれた。最後になったが、モリー・モントゴメリーの惜しみない支援と愛には、いつでも、いつまでも、心から感謝している。

解説

小島和男

まず、キングウェルが本書のなかでしている現状の把握は、特段の独自性のあるものではない。私はキングウェルのこの論考における現状の把握の価値を低く見たいわけではない。むしろその逆である。その現状の把握はおそらく妥当なものだ。ポスト・トゥルースの影響をガツンと受けている人はこう言うかもしれない。それは、多様な価値観のあるこの世界のなかで少数の、もしくはただ一人の心配性で悲観的で皆を怖がらせたいだけの意見にすぎない、と。でもそんなことはない。同じような現状の把握を、ネットフリックスのドキュメンタリー映画「監視資本主義：デジタル社会がもたらす光と影」（原題：The Social Dilemma）も語っているし、本書と同じ新書で、少し先立ってこの夏に出版された『全体主義の克服』でその著者マルクス・ガブリエルも「デジタル全体主義」という言葉を使って指摘している。

曰《いわ》く、ＳＮＳが過度に発達した現代において、私たちは気づかぬままに企業に自分を商品として差し出してしまっており、自分を見失っている。具体的に言えば、アマゾンやグーグルやツイッター、フェイスブックを私たちはタダで利用し、快適な生活に役立てているように感じているが、しかしその実、私たちはその企業にたくさんの情報を差し出し、企業はそれを利用し広告を通じて儲けている。その企業が私たちの見る画面に表示する情報は、より企業の収益が上がるように私たちの行動を絶え間なく操作するようなものになる。すごく単純化すると、私たちは見たいものしか見ないから、見たくないものは表示されないようになっていく、ということだ。とすると、お金を使う方向にどんどん進んでいくだけでなく、多様なものを見ることができなくなっていき、どんどん偏っていく。そのような状況である。

キングウェルのこの論考の優れた点、哲学に少しでも好意を持つ者なら必然的にこの論考にも興味を抱かざるを得ない点は、そういった状況の分析を「退屈の哲学」をもとに考えたことだ。私が考えるに、それはうまくいっている。なぜなら現状、先のような状況を説明しても、それだけでは相手によってはこう言われてしまうかもしれないからだ。つまり、本質が扇情主義に埋もれてしまっている。繊細でない歪んだ見方をしている。一部の人たちだけの見解に依拠して語っている、と。実際こうした言葉でフェイスブックは先に紹介した映画を公式サイトで大々的に批判した。歪んだ状況を見て歪んでいると言うと、お前の見方が歪んでいると言われる、綺麗《きれい》な図式の地獄がここに見て取れる。もちろん、キングウェルに対してもそうした批判は可能かもしれない。しかし、それに対してキングウェルはこう言うだろう。問題はもっと根本的だ。インターフェースのなかをさまようことで人々はその人自身ではなくなっているのだ。そこが問題だ。人々がインターフェース上に長い時間いるという事実は、君も共有するだろう？　いやむしろ、いてほしいのだろう？　と。

キングウェルの言う「インターフェース」とは、差し当たり、ウェブ上のSNS空間のことだと思っていただいてよいだろう（端的にはコンテンツではないもの、つまりなんらかの内容ではないものと思ってくれてもよいかもしれない。ネット上で自分でコンテンツを調べて、たとえば論文やら新聞記事を読んでいる場合は、あまり当てはまらない場合もあるからだ。しかし、それでも「場合もある」と限定するのは、検索エンジンを使ったり、ＳＮＳで情報を得てコンテンツに行き当たる場合がほとんどだからだ。そこでも我々は、インターフェースとは不可避につながってしまっている。それらは連続していて、非常に分けがたく、厄介だ）。

それは、無料で誰にでも使えるという点で入り口のように開けていて、そこからどこへも行けないという意味で入り口にすぎない。ただの接続地点である。どこから来てどこへ行くのかわからないその中間地点である。そこで私たちはどこにも行けないどころか、自分を商品として差し出し、ゾンビ化する。「私は混乱し、落ち着かず、刺激を受けすぎている。関心をあちこちに向けることで自己をすり減らしている。私はゾンビであり、幽霊であり、私の快適さと娯楽のためのものとされているテクノロジーと資本の大きな枠組みのなかで、宙ぶらりんになっている。そして、それでも、それでも……身の置き所がないように感じている」。

そこにいられたらいいのに、そのままの自分でいることもできないのである。「ここにいられたらいいのに」が本書の原題である。ここに自分がいることができたらいいなぁ、という話だ。ここに自分はいない。差し出してしまっているから。インターフェースのなかで、本来の自己に立ち返るために必要な退屈は搾取され、私たちは本来の自己としては存在できないのである。

「本来の自己」、「本来の自己に立ち返るために必要な退屈」という言葉が出てきたところで、まさにその「退屈の哲学」について考えてみたい。キングウェルが、立脚しているところの「退屈の哲学」についてである。退屈に関する哲学的説明においてキングウェルは、ショーペンハウアー、キルケゴール、ハイデッガーを挙げるが、ここではパスカルから考えてみたい。おそらくそれが、いろいろ説明しやすいからだ。

パスカルは私たちのいるこの世界を「広漠たる中間」と呼ぶ。世界について私たちは完全に知ることもできなければ、まったく知らないでいることもできない。どこから来てどこへ行くのかもわからない。究極的な目的は知れず、ただ生まれ死んでいく。そのようななかで私たちは何かをせずにはいられない。その「何かをする」行為が「気晴らし」である。気晴らしは、そのうちどうしたって死んでしまうという悲惨な運命から目を逸らすのにも役立つ。我を忘れて熱中できる何か、それが気晴らしである。この場合、仕事でも戦争でもあらゆる私たちの行動は気晴らしとなり得る。気晴らしにより不安は一時掻き消されるが、いつまでもそれに没頭していられるわけではない。この広漠たる中間のなかでただふわふわと死に向かって漂っているだけだという状況は変わらないからである。とすると必然的に、徐々に気晴らしも無意味なものに思えてきて、虚《むな》しさを感じるようになるだろう。そこで私たちが陥るのが「倦怠《アンニュイ》」である。倦怠に陥ると辛く不安になるので、また気晴らしをするようになり、いつまでもそれに没頭はできず……というように、「気晴らし↓虚しさ↓倦怠↓気晴らし↓虚しさ↓倦怠↓……」という無限ループを続けるようになる。私たちはこういった状況で生きているのだとパスカルは解くわけである。実際のところ、パスカルの思想の肝はその先の「パスカルの賭け」にあるわけだがここではおいておこう。

なお、そもそもこのアンニュイという言葉はフランス語で、訳語として「退屈」も当てはまる。そして、本書の表題の「退屈」は英語で boredom なのだが、そのフランス語訳としては一番にこのアンニュイがあると言ってよいだろう。「アンニュイ」という言葉は日本語としても普通に使うが、アンニュイと退屈は日本語では少し違うニュアンスになる。ただし、英語の boredom は、つまり本書での「退屈」は、日本語で「暇でやることがなくて退屈だなぁ」と言うときの「退屈」というだけでなく、こうした「アンニュイ」という言葉で私たちが使う意味が含まれていることに注意してほしい。倦怠感や「なんだかなぁ」という気持ちも含まれているということである。

このような退屈が、「なんだかなぁ」という嘆息が、実は大切なのである。このような退屈は、キングウェルがおそらく気に入っているであろうハイデッガーも指摘するように、私たちを哲学へと導くからである。このような退屈に陥っているとき、人間は何をやっても虚しいと感じている。何をやっても意味がないと感じている。なぜなら、どうせ結局は死んでしまうからだ。最終的には死んでしまうから人生に意味がない、というのは実は論理的な誤りを含んでおり正しくないが（「意味」は人生に付随していたものであり、何かがなくなるとき、それに付随していたものが過去にさかのぼってなかったことになるなんてことはないから）、ほとんどの人がそのように思うというのは事実だろう。

そして人生に「なんだかなぁ」と思うその瞬間、どうしたって私たちは自分の存在について考え、それがなくなるそのときである「死」を、どうしたって意識する。意識できないならそれは本当の「なんだかなぁ」ではないのだろう。ちなみにそのためにも「なんだかなぁ」は人生全体に対する倦怠感でありアンニュイであることが望ましい。もちろん、個々の限定的な「なんだかなぁ」も人生全体に対する「なんだかなぁ」につながらないわけではないが。いや、つなげましょう。ともあれ、そうやって「死」を意識した我々は、そこで日常に埋没していたいままでの自分を客観的に見ることができる。「私ってなんだ?」。そう思う「私」が、死を意識し、自分の生き方を正面から考えられるようになる瞬間がそこに出てくるのである。

つまり私たちは「退屈」によって「死」を意識し、死に向かう存在としての自分を改めてしっかり意識するようになるということである。そのとき、私たちはその都度の気晴らしに、何らかの意味のない欲求に縛られておらず自由に思考することができる。それが本来的な、本当の自分であるということだ。

しかし、現代の私たちが感じている「退屈」は、それをキングウェルは「ネオリベラル的退屈」と名づけているが、「熱狂的な自己消費につながる形で閉じ込められ、潜在的に依存している」状態にほかならない。まさに熱狂的で絶え間ない刺激、自分を動かし続ける絶え間ない刺激のなかで、本当の自分に立ち戻ることにつながるような「退屈」は「ネオリベラル的退屈」に取って代わられている。現代の関心経済や記号資本主義における企業は、ある意味、私たちにとって大事な「退屈」を搾取し続けているのである。「人々にコミュニティ構築の力を提供し、世界のつながりを密にする（フェイスブックのミッション声明）」はずのフェイスブックが、本当の自分に戻る機会を奪っているのは非常にまずいことではないですか？ そこに本当の自分のいないコミュニティってどうなんでしょうか？ その構築の力を提供するって言ってますけど、その提供する相手をいなくしているのですよ。これにはどう言いますか、ザッカーバーグさん!?

まあザッカーバーグ氏がこの本を読んでコメントを出すなんてことは、可能性としてはないことはないかもしれないが（彼の妹はソーシャルメディア批判もする優秀な学者だし……）、まあないだろう。とすると、私たちはこの状況に自分たちでどう対処していったらよいだろうか。それにはキングウェルはこう答えてくれている。コンテクスト主義をとり、足場を組もう。

もちろん、「『オルタナティブ・ファクト』とポスト・トゥルースに基づく確信――つまり、根拠なき確信――の時代に、我々は真実を規準にしなければならないことを改めて心に刻み、あらゆる形で浸透するインターフェースの影響に対抗しなければならない」のは事実である。しかし、それに従来の「哲学的な批判」が役に立つかというと、役に立たなそうだとキングウェルは思っている。彼の語るコンテクスト主義では、「真実が常にコンテクスト次第」で「主張の妥当性は所与の解釈の枠組みまたは方法によって決定され、それが生む真実の主張は所与の言説内部で妥当と見なされる」とされる。これは相対主義でも客観主義でもない。相対主義でないのは、異なるコンテクスト間の矛盾は認めているからだ。どれもそれぞれのコンテクストにとっては真実だとするのではなく、そうはっきりとキングウェルは言っているわけではないが、どれも間違っていると考えると言ってもいいだろう。真実は、（どこかにはあってよいのだが）この世界には、差し当たりないと考えるのである。あるのは流れ、文脈（コンテクスト）だ。「我々が真剣に受け止めなければならない考えは、事柄の事実といったものはないということ」なのである。

さて、そのような状況下で私たちにできること、それは「足場組み」である。キングウェルは「理性の規則に理論的に加担してきた」哲学者としては当然辛がりつつ、こう言う。「我々が公共の議論で必要としているのは、理解しようともっと努力することでは絶対にない。理性的な公共の空間というユートピアは幻想だ。それを掘り出すようにと熱心に説くことは（中略）無駄である」。そう認識した上で「足場組み」をすべきだと彼は言うのである。その私たちが組むべき「足場」とはいったい何か？　それは、端的にはSNSなどのメディアを離れて瞑想や運動をすることが挙げられている。そうするなかであの「ネオリベラル的退屈」も哲学的思索に向かう契機になるかもしれない。さらに、公共空間で私たちがすべき「足場組み」は、まずは理性の限界を認めることのようだ。理詰めで人の精神は変えられない。理性の力には限界があるのである。「そして、規則であれほかの形であれ、言葉に対する制限をいっさい設けず、公共の場で自由に討論することが理性へとつながるといった想像はやめよう。言葉に対する制限と議論に関する厳格な規則――話の腰を折らない、スローガンを述べない、一方的に有利な事実を並べないなど」を作ること、それが必要だとキングウェルは説く。そして会話を減らし、離れて暮らし、「無理に友人であろうとしないこと」が肝要なのである。

なお、大事なのは、真実はどこにもなさそうで、「すべてが解釈だと言ってもいい」が、「知と信念に規範があるという考えを放棄」はしていないという点だ。「インターフェースからの絶え間ない刺激は、絶え間ない哲学的批評の取り組みによってのみ対抗できる。これが、ネオリベラル的退屈が哲学的退屈に変わるとき、光を当てられる重要な洞察なのである」とキングウェルは語るし、「ただ、絶えず批判の目を凝らす——自分に対しても、自己の足場となる構造に対しても——という企てが、我々にできる最善策だと考える。哲学とは、こういう企てのことだと私は理解している」とも語っているように、個人個人は彼の言う哲学によって現代の状況から抜け出せると、彼は考えている。だとすると、哲学をすることも「足場組み」の一貫と言えるのかもしれない。哲学をするために「足場組み」をすべきなのだと言ってもよいだろう。

さて、本書の内容は私の愚見では以上のようなものだが、ここで私は次のような地獄を想像して、そこにキングウェルの現状への対抗策を投入するとどうなるかを考えてみたい。なお、あくまで想像で現実にあるかどうかは知らない。それはこんな地獄だ。

ある母集団のなかにAという集団とBという集団がいるとする。実際そこにおけるAとBはそんなはっきりと分けられるものではなく、AとBのあいだの差異はグラデーションでそんなにはっきりと分けられるようなものでもないのだが、そのことは母集団のほとんどの人々にあまり認識されてはいない。それは、しっかり認識されれば以下で述べるような問題はそもそも生じないかもしれない重要な事実なのだけれども。そのようななかでAはずっとBから差別され、ひどい攻撃を受けてきている。何年も前から、ずっと。その理由や起源がもうわからなくなっているくらい前からずっとである。そのようななかでそれはおかしいと誰かが理性の声をあげたとしよう。「Aが差別を受けているのはおかしい、傷ついたAの手当てをし、平等へと進めなければならない」と。それに対して「そのような事実はない」とか「Bの権利を侵してまでAの手当てはすべきではない」という意見を言う人々があったりするだろう。そこで理性の声はなんと言うだろうか？　たとえば、「そういうことを言うな、事実をきちんと認識しろ」と言ったとしよう。そうすると返ってくる言葉はこうだろう。「私たちが私たちの考えを言うことは自由なはずだ。私たちは君たちが考えているような事実はないと認識しているし、そんななかでAの手当てこそ平等を阻むものだと考えている」。

それに対して、理性の声は理性の声なりに（笑）たくさんの事実を誠実に提示したとしよう。するとこう返ってくるだろう。「君たちに提示された情報は偏っている。Aが差別を受けていると私たちに思わせたい君たちの提示する情報が偏っていないわけはないではないか」。その母集団の人々はみんな信じたいことを信じるし、その人々のうちのそれぞれが生きているうちに何に出会ってどう影響されるかは、その人には基本的にはコントロールできない。端的に言えば、親を選べないという事実がそうだ。特に子供のうちは教師だって自分では選べない。

このように自分が好きに決めたわけでもない要因に形成されてきた自分の傾向性に、人は固執しがちである。自分の持っている既存の信念は、それがどんなに理性的論理的に、そして穏やかに、間違っていることを指摘されようとも、手放したくない。そんな指摘は不快である。そしてその持ってしまった傾向性を「シェア」する仲間はたくさんいて、「シェア」する方法もたくさんあるのだ。仲間たちはそれを間違っているなんて指摘しない。実際不当な扱いを受けているのはBのほうだし、地球は丸くなんかないし、トランプは英雄だし、モリカケ問題はたいした問題ではないし、選択的夫婦別姓は絆《きずな》を弱めるからよくないんだって「みんな」言ってる。ああ、なんて仲間たちは素敵なんだろう。仲間っていいな。トモダチや仲間の大切さは子供時代から漫画やアニメで教わっている。真実なんて人それぞれなんだから、それよりもトモダチを大事にしなきゃ。マトモな人たちとのいつものつながりは素晴らしい！

こんな地獄のような事態があったら嫌だな、本当に地獄だなと思う。そのような事態のなかに確かに「理性的な公共の空間というユートピア」は露ほども想像できそうにない。キングウェルの現状の把握と似ている。しかし、ちょっと、いや、ものすごく違う点がある。それは、「Aはずっと Bから差別され、ひどい攻撃を受けてきている」という点である。もちろん、この場合にも「足場組み」は役に立つだろう。特に「言葉に対する制限」は重要だ。言葉は直接の差別や侮辱につながるからだ。しかし、どうだろう？ お互いの会話を減らし離れて暮らしたところで、攻撃によって受けた傷は癒えない。反省し謝ってくれたからといって傷が癒えることはないのだが、なんだかもやもやしないだろうか。理性的な公共の空間がユートピアだというように、まさしく存在しないと考えることは、やられたら逃げるしかないということを暗に含んではいないだろうか？ 確かに、「Aはずっと Bから差別され、ひどい攻撃を受けてきている」というのも一つのコンテクストだと言えるかもしれない。しかし、そのコンテクストのなかで傷つけられた人は、コンテクスト主義をとり、極端な話をすれば、諦めなければならないのだろうか？

勝手な状況を想像して批判するのはよろしくないという向きもあろう。また真の賢者になればそのような差別や攻撃は、ほかのとあるコンテクスト上で起こっていることだと見なし、気にしないことが可能だという理屈もあるかもしれない。しかし、会話を減らして足場を組み、個人個人で哲学をしようという主張は、確かに正しく、私はとても気に入っているが、万が一、Aのような人々がいたらそれは救われないんじゃないかなとも思ってしまうのである。

とはいえ、この困難な現代の状況下でのキングウェルの指摘は至極真っ当で、非常に役に立つものである。個人個人が自己を取り戻さなければならないということ、自己を取り戻し、本当に生きるためにはどうしたらいいかということを本書は教えてくれている。そして、これもまた非常に愚かしい楽観的な見方だが、そのような実践をする人が多くなれば、なるほどAが救われるというのもありそうなことだと思う。ティンダーで出会って幸せな家庭を築いている方は多少気を悪くされるかもしれないが、それでもいつでも誰にでも、足場を組んで哲学的思索に向かう道は開けていると思う。そのような人が少しでも増えてほしいなと思いつつ、本書をツイッターで宣伝することにちょっと躊躇《ちゅうちょ》してしまっているいまの「私」がここにいます。

訳者あとがき

本書は、Mark Kingwell, *Wish I Were Here: Boredom and the Interface* (McGill-Queen's University Press, 2019) の翻訳である。インターフェース——ソーシャルメディア、オンラインショップ、検索エンジンなど、スクリーンを通した相互作用——の問題を、「退屈」をキーワードとして哲学者の立場から論じ、解決策を模索する試みだ。詳しい内容については、学習院大学哲学科教授の小島和男教授による「解説」を読んでいただければと思うが、私自身、SNSでフェイクニュースが飛び交い、それを政治家たちが利用する状況を憂えていただけに、この著者の主張には頷《うなず》けるところが多く、ぜひ訳したいと思った。

著者、マーク・キングウェルは一九六三年生まれのカナダ人で、現在はトロント大学哲学科教授である。専門は政治理論と文化で、政治や文化に関し一〇冊以上の著作があり、雑誌や新聞にもよく寄稿している。カナダのドキュメンタリー映画『ザ・コーポレーション（The Corporation）』にも出演。このなかで教授は、企業が（個人なら罰せられるような）法律違反を堂々と行い、弱者を食い物にしている現実に対して、鋭い批判を浴びせていた。

翻訳することになったきっかけは、友人である作家・翻訳家のイーライ・K・P・ウィリアムさんがキングウェル教授の教え子という関係で、本書を集英社新書の渡辺千弘さんに紹介し、加えて私を翻訳者として推薦してくださったことである。イーライさんには、翻訳中によくわからない部分を質問させていただき、説明をお願いするなど、大変お世話になった。彼にとっても曖昧な点は、キングウェル教授自身にも確かめてくださった。哲学は専門外である訳者が何とか訳し終えることができたのも、イーライさんのおかげであり、心から感謝している。質問に丁寧に答えてくださったキングウェル教授、素晴らしい「解説」を書いてくださった小島和男教授、てきぱきと編集を進めてくださった渡辺千弘さんにも、この場を借りてお礼を申し上げる。

翻訳に関して一言お断りしておくと、本書は新書として出版されることを考慮し、専門的すぎると思われる部分を削っている。具体的には、第一部の途中、原書の八ページ途中から三二ページまでは訳していない。この部分でキングウェル教授はショーペンハウアー、キルケゴール、ハイデッガーからアドルノに至る、「退屈」をさまざまに考察した哲学者の系譜をたどっている。新書の冒頭に近い部分にしては、あまりに専門的すぎないかということで割愛したのだが、その点についてはイーライさんとも相談し、キングウェル教授の了解も取っていただいた。こうした哲学者たちに関しては、本書のほかの部分でもしばしば触れられるので、全体の理解に支障はないものと信じている。

この「訳者あとがき」を書いている現時点で、アメリカのトランプ大統領はいまだに選挙での敗北を認めず、「選挙に不正があった」というツイートを続けている。ポスト・トゥルースともポスト・ラショナルとも言われる現代、何が真実《トゥルース》なのか、理に適《ラショナル》っているのかに関係なく、「オルタナティブな」情報がばらまかれている。それを率先して実行しているのが、核兵器のボタンを押すことのできる人物なのだ。我々はこの時代をどう生き抜いたらよいのか。本書がそのヒントになったとしたら、翻訳者としては望外の幸せである。

二〇二〇年一一月二〇日

上岡伸雄

マーク・キングウェル

トロント大学哲学科教授。カナダ王立協会・英国ロイヤル・ソサエティ・オブ・アーツ特別研究員。イェール大学で博士号を取得。政治理論、現代政治、公衆芸術、建築の評論、公共哲学に関する公開講演などを行う。

上岡伸雄（かみおか　のぶお）

翻訳家、アメリカ文学研究者。学習院大学教授。著書に『テロと文学』など、訳書に『ラスト・タイクーン』など。

小島和男（こじま　かずお）

哲学者。学習院大学教授。

退屈《たいくつ》とポスト・トゥルース　SNSに搾取《さくしゅ》されないための哲学《てつがく》

集英社新書一〇五三C

二〇二一年一月二〇日　第一刷発行

著者……マーク・キングウェル　訳者……上岡伸雄《かみおかのぶお》

発行者……樋口尚也

発行所……株式会社集英社

東京都千代田区一ツ橋二-五-一〇　郵便番号一〇一-八〇五〇

電話　〇三-三二三〇-六三九一（編集部）
〇三-三二三〇-六〇八〇（読者係）
〇三-三二三〇-六三九三（販売部）書店専用

装幀……原　研哉

印刷所……凸版印刷株式会社

製本所……加藤製本株式会社

定価はカバーに表示してあります。

ISBN 978-4-08-721153-5 C0210

Printed in Japan

a pilot of wisdom

集英社新書 好評既刊

苦海・浄土・日本 石牟礼道子 もだえ神の精神
田中優子 1040-F

水俣病犠牲者の苦悶と記録を織りなして描いた石牟礼道子。世界的文学者の思想に迫った評伝的文明批評。

毒親と絶縁する
古谷経衡 1041-E

現在まで「パニック障害」の恐怖に悩まされている著者。その原因は両親による「教育虐待」にあった。

イミダス 現代の視点2021
イミダス編集部 編 1042-B

ウェブサイト「情報・知識imidas」の掲載記事から日本の現在地を俯瞰し、一歩先の未来を読み解いていく。

中国法「依法治国」の公法と私法
小口彦太 1043-B

先進的な民法と人権無視の憲法。中国法は、なぜ複雑な相貌を有するのか。具体的な裁判例に即して解説。

忘れじの外国人レスラー伝
斎藤文彦 1044-H

昭和から平成の前半にかけて活躍した伝説の外国人レスラー一〇人。彼らの黄金期から晩年を綴る。

悲しみとともにどう生きるか
柳田邦男／若松英輔／星野智幸／東畑開人／平野啓一郎／島薗 進／入江 杏 1045-C

「グリーフケア」に希望を見出した入江杏の呼びかけに応えた六人が、悲しみの向き合い方について語る。

ニッポン巡礼〈ヴィジュアル版〉
アレックス・カー 045-V

滞日五〇年を超える著者が、知る人ぞ知る「かくれ里」を厳選。日本の魅力が隠された場所を紹介する。

原子力の哲学
戸谷洋志 1047-C

七人の哲学者の思想から原子力の脅威にさらされた世界と、人間の存在の根源について問うていく。

花ちゃんのサラダ 昭和の思い出日記〈ノンフィクション〉
南條竹則 1048-N

懐かしいメニューの数々をきっかけに、在りし日の風景をノスタルジー豊かに描き出す南條商店版『銀の匙』。

万葉百歌 こころの旅
松本章男 1049-F

随筆の名手が万葉集より百歌を厳選。瑞々しい解釈と美しいエッセイを添え、読者の魂を解き放つ旅へ誘う。